WILLIAMS PANTYCELYN

WILLIAMS
PANTYCELYN

GAN

SAUNDERS LEWIS

Caerdydd:
Gwasg Prifysgol Cymru
1991

Cyhoeddwyd *Williams Pantycelyn* gyntaf gan Foyle's yn 1927.

Manylion Catalogio Cyhoeddi (CIP) ar gyfer y llyfr hwn ar gael gan y Llyfrgell Brydeinig.

Cynllun y clawr gan Cloud Nine, Caerdydd

Argraffwyd yng Nghymru gan
Wasg Dinefwr, Llandybïe, Dyfed

I'M TAD

"Necesse est ascendere secundum triplicem viam: scilicet purgativam quae consistit in expulsione peccati; illuminativam quae consistit in imitatione Christi; unitivam quae consistit in susceptione Sponsi."[1]

Bonaventura: De Triplici Via.

[1] Rhaid yw esgyn ar hyd ffordd driphlyg: ffordd y puro, ac yn honno y glanheir o bechod; ffordd y goleuni, ac yn honno y dilynir Crist; ffordd yr uno, ac yn honno y derbynnir y Priodfab.

RHAGAIR

Y LLYFR hwn yw'r cyntaf o dri a obeithiaf
i eu sgrifennu ar lenyddiaeth Gymraeg.
Efallai na warafunir imi egluro fy amcan.

Ebr y beirniad llenyddol Saesneg, Mr.
T. S. Eliot: " The important critic is the
person who is absorbed in the present
problems of art, and who wishes to bring
the forces of the past to bear upon the
solution of these problems."[1] Dyna o leiaf
fy awydd innau. Fy uchelgais yw gweld
ail-sefydlu beirniadaeth Gymraeg ar sylfaen
y traddodiad Ewropeaidd a ffynnai ac a
dyfai yng Nghymru hyd at ddiwedd yr
unfed ganrif ar bymtheg. Nid mynd yn
ôl at y traddodiad hwnnw i aros ynddo,
ond mynd ato i'w ddatblygu. Canys fy
nghrêd i yw mai beirniadaeth ac egwydd-
orion athronyddol y traddodiad llen-
yddol Cymraeg yn yr Oesoedd Canol yw
cyfraniad arbenicaf Cymru i feddwl Ewrop,
a bod egluro'r feirniadaeth honno, a dangos
ei *chyfeiriad* yn wyneb datblygiad athron-
iaeth ddiweddar a llenyddiaeth ein hoes

[1] T. S. Eliot: *The Sacred Wood*, tud. 33.

ninnau, yn dasg y gelwir arnom ei chy-
flawni. Felly yn unig y ceir yn y diwedd
feirniadaeth lenyddol Gymraeg.

Efallai mai gyda'r Oesoedd Canol gan
hynny, nid gyda Phantycelyn, y dylaswn
ddechrau. A diau y deëllid gwaith Panty-
celyn yn well ped eglurid yn gyntaf y
pethau a fuasai o'i flaen ef. Ond nid
trefn amser na threfn rhesymeg oedd trefn
ysbrydoliaeth. Parodd datblygiadau'r tair
blynedd diwethaf, yr ymosod chwerw
ar 'anfoesoldeb' rhai o lenorion ifainc
heddiw, arwyddion hefyd o ddiddordeb
newydd mewn athroniaeth a gwyddoniaeth,
yr ymdrech am onestrwydd a difrifwch
gan y pedwar neu bump bardd a nofelydd
a dramâydd sy'n ddigon i gynrychioli cen-
hedlaeth,—parodd y cwbl imi sgrifennu'r
llyfr hwn. Credaf ein bod bellach yn
addfed i ddeall neges Pantycelyn. Credaf
hefyd y gellir osgoi rhai camgymeriadau
drud drwy ei astudio. I'm cyfeillion yn
arbennig y sgrifennais i, gan obeithio y
bydd egluro datblygiad Pantycelyn yn
arbed eu maglu hwythau mewn rhamant-
iaeth ddiffrwyth, ac yn rhwystro gwasgaru
eu doniau'n aneffeithiol.

Yng nghydol y gwaith mentrais greu rhai
termau newydd. Ni wn i a dderbynnir
hwynt gan ysgolheigion na chan lenorion,
ac ni ddadleuaf drostynt.   Sgrifennais
'ffenomen' am '*phenomenon*' y Groeg-

iaid, yn gyson â'r rheol a osodwyd i lawr gan ddau o feirniaid mwyaf Cymru, sef Gruffydd Robert ac Emrys ap Iwan. Gellir hefyd ddefnyddio'r ansoddair 'ffenomenaidd', ac am 'noumenon' Kant, gellir arfer 'noemen' a 'noemenaidd'. Defnyddiaf 'eneideg' yn hytrach na 'meddyleg'. Gwell gennyf ei sain, ac y mae'n ehangach enw ac yn awgrymu cynnwys yr wyddor yn well.

Dau lyfryn anhepgor i efrydwyr Pantycelyn yw *Rhestr o Lyfrau gan y Parch. William Williams* o waith y diweddar Brifathro J. H. Davies, a rhifyn coffa Williams o *Gylchgrawn Hanes y Methodistiaid Calfinaidd*, Rhagfyr 1917. Ceir ysgrif ar *Theomemphus* gan yr Athro W. J. Gruffydd yn y *Llenor*, 1922, a chyfeiriaf ati fwy nag unwaith. Yn ddiweddar cyhoeddwyd argraffiad o *Aleluia* gan y Parch. Llewelyn Jones, argraffiad diplomatig gyda rhagarweiniad. Byddai'n ddiolch yn fwy pe dewisid un o'r llyfrau eraill sy'n brinnach ac yn fwy gwerthfawr. Rhoes fy nhad imi, heblaw'r llyfrau uchod, ei gasgliad helaeth ef o argraffiadau cyntaf ac argraffiadau cynnar Williams ynghyd â'r *Gweithiau* dan olygyddiaeth Kilsby Jones a than olygyddiaeth Cynhafal Jones. Er mwyn cysondeb defnyddiais felly yr argraffiad cyntaf o *Theomemphus* ac o *Olwg ar*

Deyrnas Crist, ond argraffiad John Williams
yn 1811 o'r *Holl Hymnau* (teitl anghywir),
gan gadw mewn golwg pan fyddai o bwys
ddarlleniadau gwahanol cynharach neu
ddiweddarach. Dyledus wyf i'm tad am
fy holl ddefnyddiau ac am lawer beirniad-
aeth. Dymunaf gydnabod diolch arbennig
i'm Dosbarth mewn Llenyddiaeth Gymraeg
ym Mhontardawe a brofodd y rhan fwyaf
o'r llyfr cyn ei gyhoeddi a'm symbylu
a'm helpu yn ddirfawr. Yn olaf, bydd fy
nyled yn drom i'r Athro Henry Lewis,
Abertawe, am ddarllen a chywiro proflenni,
ac ymboeni i achub fy ngwaith rhag
camgymeriadau argraff ac orgraff, ac i'r
Parchedig D. James Jones am ei hynaws-
edd yn paratoi mynegai, ac i Mr. John
Hughes o adran Gymraeg y Meistri Foyle
am ei ofal dros yr holl waith.

CYNNWYS

WILLIAMS PANTYCELYN

I

YR ESTHETEG GYMREIG

Yɴ fuan wedi'r flwyddyn 1740 fe gych-
wynnodd Williams o Bantycelyn ar ei
yrfa lenyddol. Nid rhyw lawer ar ei ôl
dechreuodd Goronwy Owen ar ei waith
yntau. Gan hynny, y mae'n gyfleus dweud
mai 1740 yw blwyddyn geni barddoniaeth
Gymraeg ddiweddar. A rhwng dechrau'r
cyfnod hwn a gorffen y cyfnod cynt, a
eilw'r Syr John Morris Jones yn 'gyfnod
caeth' neu 'gyfnod y cywyddau',[1] ond y
carwn i ei alw yn Gyfnod Clasurol,—
rhyngddynt y mae canrif o fwlch. O 1640
hyd 1740 nid oes i farddoniaeth yng
Nghymru na hanes na phwysigrwydd. Gwir
bod yn y ganrif honno un bardd, sef Edward
Morus, a'i awen yn brin eithr yn bur, ac
eraill megis Huw Morus ac Owen Gruffudd
nad yw 'n gosb drom eu darllen. Ond nid
digon hynny i achub y ganrif 1640–1740

[1] Cerdd Dafod, gan John Morris Jones, 1925, tud. 18.

o'i dinodedd. Felly, yn olyniaeth y prif feirdd Cymraeg daw enw Williams o Bant-ycelyn yn union ar ôl beirdd diwethaf y Cyfnod Clasurol.

Un rheswm dros alw'r cyfnod 1330-1640 yn Gyfnod Clasurol yw mai dyna'r cyfnod a welodd grisialu y meddwl Cymreig am farddoniaeth. Wedi'r cyfnod hwnnw ni bu feddwl Cymreig pur, ond meddwl Seisnig ar ŵyr i gyfeiriadau Cymreig. Dyma gyf-nod y gwŷr wrth gerdd, y llenorion pro-ffesedig, amseroedd ysgolion y beirdd a'r athrawon mewn prydyddiaeth a beirniad-aeth. A mantais arbennig i lenyddiaeth Cymru oedd fod cerdd dafod yn alwedigaeth, canys felly fe sicrhawyd drwy'r canrifoedd olyniaeth ysgolion y beirdd; a chan mai traddodiad yw hanfod pob addysg, fe dyfodd ac fe addfedodd yn yr ysgolion hynny gorff o feirniadaeth lenyddol a damcaniaethau am lenyddiaeth sy'n ddifwlch o Einion Offeiriad hyd at Simwnt Fychan. A'r corff damcaniaethau hyn yw prif gyfraniad Cymru i feddwl esthetig yn Ewrop. Ysy-waeth, un arwydd o'r ysgariad truan rhwng Cymru heddiw a'i hen wareiddiad yw mai prin iawn y dechreuwyd eto astudio estheteg ein clasuron. A heb hynny, gellir mentro dweud, ni cheir gennym fyth feirniadaeth ddiogel na gwreiddiol yng Nghymru, a defnyddio'r gair 'gwreiddiol' yn ei ystyr fanwl sy'n wrthwyneb i 'newydd.' Nid

ydys yn barnu y dylid yn awr edrych ar
lenyddiaeth yn union fel yr edrychai
Ddafydd ab Edmwnt arni. Ond y mae'n
rhaid synio'n gywir am feddwl Dafydd ab
Edmwnt cyn y gellir o gwbl ddeall llenydd-
iaeth Gymraeg. Ac y mae synio'n gywir
amdano yn werthfawr wrth ddechrau
astudio Williams o Bantycelyn, oblegid
mai Williams yw'r bardd pwysig cyntaf ar
ôl y Cyfnod Clasurol, ac yr oedd ei
ffilosoffi ef, ei dyb am natur ac amcanion
barddoniaeth, yn groes i holl ddamcan-
iaethau'r Estheteg Gymreig. Od yw'n
iawn defnyddio'r gair 'rhamantus' i ddy-
nodi dull o feddwl a ddaeth yn amlwg
yn Ewrop tua diwedd y ddeunawfed ganrif,
yna Williams yw'r bardd rhamantus cyntaf
yng Nghymru. Efallai y gellir dangos cyn
y dibenno'r llyfr hwn, mai ef oedd y bardd
rhamantus, a'r bardd modern, cyntaf yn
Ewrop.

Nid dyma'r lle priodol i drin yn fanwl
egwyddorion beirniadaeth y Cyfnod Clas-
urol. Ond rhaid sylwi'n fyr ar y nodwedd-
ion hynny sy'n help i ddeall yr elfennau
newydd yng ngwaith Pantycelyn. Mewn
penodau diweddarach cawn droi'n ôl at
y mater o dro i dro. Y nodwedd gyntaf yw
ei bod yn honni mai peth cymdeithasol
yw barddoniaeth. "Swydd prydydd yw
moli . . . i ddigrifhau llysoedd a diddanu
gwyrda a rhianedd." Dyna athrawiaeth

y beirniaid Cymraeg am ddiben barddon-
iaeth.[1] Diddanu   trwy   foliant!   Mor
wahanol yw'r syniad i bob syniad a ffynna
heddiw.   Er enghraifft, gellir dweud am
y ddrama Gymraeg yr awr hon mai ei
bwriad hi yw diddanu drwy feirniadu a
thorri i lawr.   Dengys y gwahaniaeth
rhwng y ddau syniad y gwahaniaeth hefyd
mewn bywyd. Gorffwys holl ddamcaniaeth
lenyddol Cymru'r Oesoedd Canol ar sylfaen
unoliaeth cymdeithas ac athroniaeth gyff-
redin am bethau pwysig bywyd. Sefydlwyd
y gymdeithas honno ar ddeffiniadau a
dosbarth rhesymegol ac Aristotelaidd, yn
gystal ag ar egwyddorion Cristnogaeth.
Dywed haneswyr wrthym nad oedd hi'n
berffaith.   Dywed rhai nad oedd hi'n
ddymunol, peth sy'n llawer ansicrach, ac
yn amhosibl ei brofi na'i wrthbrofi.   Y
peth sy'n weddol eglur yw bod ei chynllun
hi, y gyfundrefn gymdeithasol ddelfrydol
y ceisiai bywyd ei dynwared—ei bod hi o
leiaf yn berffaith ym marn beirdd a beirn-

---

[1] I gyfiawnhau defnyddio'r gair ‘Clasurol’ i ddisgrifio
meddwl yr Oesoedd Canol, codaf y paragraff a ganlyn o
ysgrif Jaques Rivière ar *La Crise du Concept de la Littérature*
(Nouvelle Revue Française, 1924). Dyma'r darn wedi ei
droi'n Gymraeg : “ Yn yr ail ganrif ar bymtheg pe gofynnai
rywun i Molière neu Racine paham yr ysgrifennent, diau
na chaent yn ateb ond hyn—I ddiddanu gwyrda (*les honnêtes
gens*). Gyda rhamantiaeth yn unig y dechreuwyd edrych
ar waith llenyddol megis ymosod ar y Diamod, a'i ganlyniad
yn ddatguddiad. Yn y funud honno etifeddodd llenyddiaeth
orchwyl crefydd.”—Ceir gweled pwysigrwydd y syniad hwn
ym mhellach ymlaen yn y llyfr hwn.

iaid a lleygwyr yr oesoedd hynny. Hwn,
y patrwm perffaith yr ymgeisiai bywyd tuag
ato, oedd testun moliant beirdd a thestun
ffyddlondeb y gymdeithas ei hun. Canys
gweithred gymdeithasol yw moliant, teyrn-
ged nid i'r unigolyn ond i'r bywyd a'r
moesau a ymglymo o'i gwmpas, arwydd o
ffydd mewn gwareiddiad ac arwydd o
ffydd mewn bywyd. Ffydd yw sicrwydd
y pethau ni welir. Yr oedd yr Oesoedd
Canol yn sicr bod trefn yn y greadigaeth,
mai cyfundrefn ddisiom oedd Bod, a bod
cytgord i'w glywed odditan holl sŵn
amherffaith ffeithiau. Rhaid oedd gan
hynny gael praw a symbol o'r cytgord
hwnnw. Rhaid oedd i ddyn weld bywyd
yn ei berffeithrwydd. Hynny a'i diddanai.
Hynny a droai fywyd yn beth ag ystyr
iddo. Hynny yn wir oedd diddanu gwyrda
a rhianedd. Felly, dwy gelfyddyd gain yn
unig a gydnabuwyd yn yr Oesoedd Canol,
sef cerdd dafod a cherdd dant. Nid oedd
pensaernïaeth na cherfluniaeth na phaentio
namyn celfyddydau defnyddiol. Ni allent
hwy ond llunio'r amherffaith. Mater oedd
eu deunydd. Ond cynyrchion pur ysbryd
dyn oedd cerdd dafod a cherdd dant,
symbolau o gytgord y cread. Cytgord
yn wir oedd eu hanfod: perffeithrwydd
oedd eu defnydd. Yng ngeiriau syml,
cynwysfawr Simwnt Fychan: "Ni wnaed
cerdd ond er melyster i'r glust ac o'r

glust i'r galon." Yma y gwelir dyfnder
athroniaeth sagrafennaidd yr Oesoedd Canol.
' O'r glust i'r galon '; troi'r synhwyrau'n
gyfrwng meddiannu perffeithrwydd. Gosod
trefn lwyr a chytgord ar air a sain, eu
troi'n symbolau cyfundrefn athronyddol
gyfan a diddamwain, ac felly'n gerdd
ddisgybledig a ddiddanai a bodloni cym-
deithas. Y 'Creawdwr hollgyfoethog' a
Mair a'r Saint a'r angylion, a gwyrda a
rhianedd a phreladiaid ac ysgolheigion a
chrefyddwyr a chrefydd-wragedd, y rhain
yw'r gymdeithas ddosbarthus a chysyllt-
iedig a chyfan sy'n destun moliant pryd-
yddion. 'Ni ddyly prydydd oganu neb.'
Yr ystyr yw bod gogan neu sarhad yn
perthyn i fyd ffaith ac amherffeithrwydd.
Mewn cerdd byddent yn fradwriaeth, yn
llusgo damwain a drwg i mewn i'r Realiti
anweledig perffaith sy'n sylfaen ffydd y
Cristion ac yn ddeunydd byd Cerdd. I
arwyddo natur ddiddamwain, gyfundrefnol
y byd hwnnw y lluniwyd holl gelfyddyd
cynghanedd.

Ni allasai fod meddwl fel hwn am natur
a diben barddoniaeth oddieithr mewn cym-
deithas sefydlog a threfngar, a'i chadernid
wedi ei sicrhau drwy unfrydedd barn ar
bethau pwysig bywyd, megis awdurdod
Duw ar y byd a dyletswyddau dynion
tuag at ei gilydd. Y mae'n anodd i ddar-
llenwyr ysgafn-fryd gredu bod a fynno

barddoniaeth â'r pethau hyn, ond felly y mae, a dangosir hynny yn hanes llên Cymru. Canys yn ystod yr unfed ganrif ar bymtheg a'r ail ar bymtheg fe ddinistriwyd trefn yr hen fywyd Cymreig, dinistriwyd hefyd grefydd y genedl, ac yn lle trefn a gwareiddiad daeth ar Gymru dywyllwch ac anhrefn. Ysbeiliwyd yr eglwysi, gwasgarwyd y mynachlogydd. Aeth plasau'r uchelwyr, a fuasai gynt yn ganolfannau bywyd a diwylliant y genedl, naill ai'n adfeilion neu ynteu i ddwylo'r cyfoethogion newydd na wyddent am na dyletswydd na thraddodiad. Mewn paragraff craff o'r *Bardd Cwsc* fe ddisgrifia Ellis Wynne y caos a'r diffeithdra a syrthiasai ar y wlad yn y cyfnod hwn:—

" Descynnasom ar ben 'hangle o Blasdy penegored mawr, wedi i'r Cŵn a'r Brain dynnu ei Lygaid, a'i berchenogion wedi mynd i Loegr, neu Ffrainc . . . . felly yn lle'r hên Dylwyth lusengar daionus gwladaidd gynt, nid oes rwan yn cadw meddiant ond y modryb Dylluan hurt, neu Frain rheibus, neu Biod brithfeilchion, neu'r cyffelyb i ddadcan campeu y perchenogion presennol. *Yr oedd yno fyrdd o'r fâth blasau gwrthodedig a allasei oni bai Falchder, fod fel cynt yn gyrchfa goreugwyr, yn Noddfa i'r gweiniaid, yn Yscol Heddwch a phob Daioni, ac yn fendith i fil o Dai bâch o'u hamgylch.*"   . . .

Dyna mewn brawddeg ddarlun o ddrychfeddwl cymdeithas yng Nghymru cyn y collwyd ein gwareiddiad. Nid oes a wnelom yn awr ag effeithiau economaidd y golled

honno, eithr yn unig â'r effaith ar dymer
a meddwl dynion. Gwnaethpwyd Cymru'n
wlad o bobl unig. Collodd ei threfn a'i
chymdeithas grefyddol, collodd ei hun-
frydedd barn am bethau hanfodol bywyd.
Canlyniad anhrefn a drysni meddwl yw
unigedd. Er dyddiau Llywarch Hen ni
chlywyd fawr o acen unigedd mewn
llenyddiaeth Gymraeg. Ond o ddyddiau
teyrnasiad Elisabeth ymlaen dyma nodyn
amlwg ein barddoniaeth. Clywir ef fel
cwyn lleddf ym mhob bardd gwlad o'r
ail ganrif ar bymtheg, a dyma ddechrau'r
'canu lleddf', y peth cwbl anghymreig
hwnnw y credai'r hen feirniaid ei fod
mor Geltaidd. Un meddyliwr o athrylith
arbennig a gafodd Cymru yn yr ail ganrif
ar bymtheg, a cheisiodd hwnnw, Morgan
Llwyd o Wynedd, roi rhyw lun ar ei
fywyd a'i athroniaeth drwy honni mai yn
yr enaid unig ac ym mhrofiad personol
yr unigolyn yr oedd chwilio am awdur-
dod mewn bywyd, ac am Dduw ei hun.
Gweithiau Morgan Llwyd yw'r enghraifft
wrolaf yn ein llenyddiaeth o feddyliwr
cryf yn wynebu distryw ac anobaith ei
oes, ac yn ceisio codi allan o'r caos o'i
amgylch adeilad ddisigl a threfnus y byddai
ei enaid yn llonydd ynddi.

Ac yn yr un ganrif ag y bu byw Morgan
Llwyd yr ysgrifennwyd yn Saesneg ac y
cyfieithwyd i Gymraeg y llyfr sy'n symbol

o'r modd unig, ymneilltuol o synio am fywyd. Ni wn i am lyfr tristach yn y byd na *Thaith y Pererin* John Bunyan, nac am lyfr mwy anghymreig ei ysbryd. Ond fe'i troswyd i Gymraeg, ac y mae'n arwyddlon bod ei effaith ar ddychymyg Cymru, ac ar feddwl Williams o Bantycelyn yntau, yn bennod bwysig yn hanes ein llên. Canys er mwyn deall bywyd a gwaith Pantycelyn, a'i farn am farddoniaeth, rhaid dal yn gyntaf oll ar y ffaith hon: ei eni a'i fagu a'i addysgu mewn gwlad a gollasai ei threfn gymdeithasol a'i thraddodiadau, gwlad wedi ei maglu mewn unigedd a thlodi ysbrydol. Bardd unigedd yw Williams, bardd a ganai:—

> "I gyhoeddi'r ffoedigaeth fawr,"

a'r dull ffoedig, ymneilltuol o feddwl:—

> "Mi a' maes o blith y werin . . .
> Heb wybod beth mae'r werin fawr
> Yn wneud a dadrys 'rhyd y llawr."

Cawn weld eto iddo ef a'i gyfeillion yn y Diwygiad Methodistaidd ail-ddarganfod rhai arferion a rhai egwyddorion a fuasai'n gyfran Cymru ac Ewrop Gristnogol cyn bod Protestaniaeth. Ond yr oedd un peth nas darganfu Williams erioed, sef y syniad Cymreig am gymdeithas ac am natur gymdeithasol barddoniaeth. Ac effaith y chwildro a'r diwreiddio a fu yn hanes Cymru yw rhan fawr o'r esboniad

sut na bu erioed lai o wlatgarwr na Williams.
Yr oedd y geiriau 'gwlad' a 'chenedl'
yn eu hystyr ddynol yn ddi-ystyr iddo.
'Gwlad o dywyllwch wyf yn trigo', ebr
ef yn ddigon cywir, a deffiniodd ei syniadau
politicaidd a'i wlad a'i genedl ei hun mewn
llinellau pendant:—

> " Dyn dieithr ydwyf yma,
>   Draw mae'm genedigol wlad. . . ."

> " Darfydded caru tref a gwlad."

Yn ei hymnau diweddaraf cawn weld i'r
syniad am 'wlad draw' gilio, hwnnw
hefyd, fwyfwy o'i fryd, ond yn ei waith
cynnar y mae iddo le pwysig. Fe ddywed
yr eneidegwyr am yr artist, os newynir ef
drwy atal rhyw elfen a fyddai'n gynhaliaeth
iddo, fod ynddo duedd i gyflenwi'r rhaid
hwnnw yng nghynyrchion ei ddychymyg, a
throi bywyd ei ddychymyg yn noddfa rhag
ei amgylchiadau, hyd yn oed heb yn wybod
iddo'i hun. Gallem gredu mai dyna fu hanes
Pantycelyn, bardd y 'ffoedigaeth'. Y drefn
olau a'r unfrydedd a'r diddanwch a'r berth-
ynas a gollasid yn y wlad y ganed ef, rhoes
hwynt oll yn nefoedd ei ddychymyg:—

> " Gwlad o oleuni heb dywyllwch,
>   Gwlad o gariad heb ddim trai " . . .

> " Pob rhan ohoni, bryn a bro,
>   Sydd gyflawn o ddiddanwch;
>   Dim sôn am ryfel, bai, na phla,
>   Ond byth didra dawelwch."

" Yno mae 'nhrysor i gyd,
　　'Nghyfeillion a'm brodyr o'u bron."

Gwelir yr un anaf ar ddiwinyddiaeth Williams. Prin y ceir ganddo syniad am gymdeithas Gristnogol neu Eglwys o gwbl yn y byd yma. Pererin unig yw ei Gristion ef fel Pererin Bunyan :—

" Mewn anialwch wyf yn trigo,
　　Alltud unig wrthyf fy hun."

Diau nad yw'n gwbl amddifad. Bu rhai ar y ffordd o'i flaen, a Christ, y pererin cyntaf :—

" Bu'r Iesu'n rhodio yma ei hun,
　　Rwy'n dilyn ôl ei droed,"

a bu eraill yr un ffordd a gadael olion yn gyfarwyddyd i'r Cristion :—

" Mae rhai fel finnau fu
　　Mewn gofid trist yn brudd,
Tu fewn i Sion fry . . ."
" Dilynaf ôl eu traed."

A dyna'r unig a thruan gymdeithas sydd ar y ddaear :—

" Rwyf i 'n caru'r pererinion
　　Ar y tylau serth y sy
Ar eu traed ac ar eu dwylo
　　'N ceisio dringo fyny fry ;
　　　Ar fy neulin
Minnau ddof i ben y bryn."

Mor dlawd yw'r meddwl hwn o'i gymharu â'r syniad gwareiddiol a chyfriniol am yr

Eglwys yn gorff Crist yn y byd ac yn
barhad o'r ymgnawdoliad. Nid yw'n rhy-
fedd bod hiraeth trist yng nghanu Williams,
canys:—

> " 'Dwy'n awr ond gweld fy Mhriod gwych
> Ar fryniau draw ymhell trwy ddrych,"

a thu hwnt i'r bedd y gwêl ef eglwys ac
undeb:—

> " Caf weld aneirif lu
> O bererinion glân
> O fewn Caersalem fry
> A ddaethant yno'm blaen. . . ."

ond disgwyl y maent hwythau am y
gymdeithas lawn:—

> " Disgwyl y maent bob munud awr
> Am weld yr Atgyfodiad mawr."

Golwg ar Deyrnas Crist a ddengys y diffyg
meddwl cymdeithasol hwn ar ei ddiwin-
yddiaeth yn egluraf. Bwriad y gerdd yw
canu am deyrnasiad Crist o dragwyddoldeb
i dragwyddoldeb, a phob pennod yn amlygu
rhyw wedd bwysig ar ei arglwyddiaeth,
megis ' Crist yn bob peth yn yr arfaeth,
yn bob peth yn y greadigaeth, yn bob
peth yn addewid Eden, yn bob peth mewn
Rhagluniaeth, yn bob peth yn y Beibl ',
etc. Amlwg yw bod yma gais at gyfundrefn
ddiwinyddol gyfan. Mor rhyfedd gan hynny
yw sylwi nad oes yn y gân bennod ar ' Grist
yn bob peth yn ei Eglwys '. Braidd nad
yw'r gwall yn anhygoel. Ys gwir y ceir

rhan fer iawn ar ' Grist yn dysgu ei ddeil-
iaid neu yn ddoethineb i'w Eglwys ', ond o
ddarllen y rhan honno fe welir mai ' doeth-
ineb i'r unigolyn ' yw gwir destun y
bennod :

"Rhaid iti'm cyfarwyddo a rhoi doethineb im '."

Yn unig yn niwedd y gerdd, yn y rhan
a ddisgrifia'r nefoedd y ceir o gwbl ganu
am Eglwys : ' Crist yn presentio ei Eglwys
i'w Dad a gwynfydedigrwydd y Saint ar
ôl Dydd y Farn '. Ie, ar ôl dydd y Farn y
gwelai Williams Gymundeb y Saint.

Gwn mai gwaith cynnar yw *Golwg ar
Deyrnas Crist*, ac mai yn y gweithiau
cynnar yn arbennig y ceir yr unigoliaeth
lem hon gan Williams. Ni ddywedaf
ychwaith nad oedd ganddo un syniad am
Eglwys. Ef oedd sefydlydd y Seiat, a
rhoes le pwysig i gyffes yn ei athrawiaeth.
Pethau cymdeithasol yw'r rheini, ac yn
y Doctor Alethius creodd Williams gymer-
iad eglwysig pur. Daw'r elfen gymdeith-
asol hefyd yn amlycach yn ei hymnau
diweddaraf. Y cwbl a haerir yma yw bod
unigoliaeth yn elfen gref dros ben yn ei
holl waith, ac yn y cyfnodau cynnar yn
elfen lywodraethol. Nid beio Williams
yw dweud hynny. Os tlawd yw ei syniad ef
o eglwys a chymdeithas, dyna a etifeddodd
ef. Collesid cyflawnder y meddwl Crist-
nogol gynt. " Fe'm cefais fy hun," meddai

Descartes, athronydd a sgrifennodd mewn
cyfnod a welodd ddryllio cyfundrefn athron-
iaeth yr Oesoedd Canol, "megis dan orfod
i ymdaro drosof fy hun yn y gwaith o
reoli fy mywyd . . . fel dyn yn cerdded
ar ei ben ei hun ac yn y tywyllwch."[1]
Gellir cymhwyso'i eiriau yn briodol i
ddisgrifio lle Williams o Bantycelyn yn
hanes llenyddiaeth Cymru. Yr oedd bod
y bardd hwn yn rhoi ei holl drysor a'i
etifeddiaeth y tu hwnt i'r bedd yn gyfaddef-
iad o'i anobaith am drefn gymdeithasol yr
ochr hon yng Nghymru. Dyn oedd yntau
yn cerdded ar ei ben ei hun ac yn y
tywyllwch.

Paham gan hynny y sgrifennai, ac i ba
beth y barddonai? Dyna'r cwestiwn y
mae'n rhaid i feirniadaeth Gymraeg ei
ofyn. Fe wyddom ateb y Cyfnod Clasurol:
sgrifennu er diddanu gwyrda a rhianedd.
Ond wele alltud yn ymwrthod â phob
cymdeithas, a'i obaith am ddiddanwch y
tu draw i angau, a'r alltud digymdeithas
hwn yn rhoi'i fywyd yn dra llwyr i
farddoniaeth! A sylwer, nid barddoni llai
na'r hen feirdd. Nid bardd prin a chynnil
mohono, megis un yn syrthio i anghysondeb.
Ond yn hytrach y bardd mwyaf toreithiog
a welodd Cymru, un a gyhoeddodd o

[1] *Traethawd ar Drefn Wyddonol*, Cyf. D. Miall Edwards,
tud. 16–17.

leiaf ddeuddeg-a-phedwar-ugain o lyfrau a phamffledau, a marw'n hen ŵr ar ganol cyfansoddi cerdd faith arall.

Diau bod y chwedl am ' Williams biau'r canu' yn cefnogi'r syniad o anghysondeb: cyfansoddi emynau ar gyfer y Methodistiaid a wnâi, ac felly ni bu mor ddigymdeithas mewn bywyd ag mewn llyfr. Ond pe derbyniem y syniad, nid eglurai hynny namyn rhan o'i waith. Beth am y gweddill, *Theomemphus*, a'r *Gerdd Benrhydd*, a'r *Gerdd Newydd am Briodas*, a llawer ychwaneg? Gwyddom hefyd fod ym mhlith yr emynau liaws na buont erioed yn ddefnyddiol dros ben i neb. Nis cenid; neu os cenid, nid cyn i olygyddion di-awen eu malurio a'u llwyr newid. Wrth gwrs, pan argraffai hwynt, fe fwriadai Williams eu canu gan gynulleidfaoedd. Y pwynt yw nad oedd dim yn ei feddwl *yn awr y cyfansoddi* namyn ef ei hun â Duw. Yn sicr ni ellir pwyso ar y syniad o anghysondeb.

Y gwir, a'r gwir pwysig yn hanes meddwl yng Nghymru ac yn Ewrop, yw i Williams ddarganfod a phrofi damcaniaeth newydd am natur a diben llenyddiaeth, syniad a ledodd yn gyflym drwy Ewrop ym mlynyddoedd olaf y ddeunawfed ganrif, ac a lywodraethodd feddyliau lliaws o lenorion o hynny hyd heddiw. Gellir dweud mai dwy ddamcaniaeth sylfaenol am natur llenyddiaeth a fu erioed yn Ewrop, ac nid

oes a ddengys yn well werthfawredd llen-
yddiaeth Gymraeg a'i chyfran hanfodol yn
hanes gwareiddiad y Gorllewin, na'r ffaith
ddarfod mynegi'r ddwy ddamcaniaeth yn
llawn yn ein llên, y naill ym meirniadaeth
y Cyfnod Clasurol, a'r llall ym marddon-
iaeth Pantycelyn. Fe ddywedir weithiau
mai Rousseau a roes fod i'r ddamcaniaeth
newydd. Yr oedd Rousseau (1712–1778)
a Williams yn gyfoeswyr; ymddangosodd
eu prif weithiau yn agos iawn i'w gilydd.
Nid oedd o gwbl gysylltiad rhyngddynt,
a theg felly yw cydnabod y naill gyda'r
llall fel sylfaenwyr y mudiad Rhamantus
yn llên Ewrop. Ac nid mewn llenyddiaeth
yn unig y gwelwyd yr egwyddor newydd
yn gweithio. Canfyddir hi hefyd mewn
miwsig. Tueddaf weithiau i gredu mai yn
ail hanner y ddeunawfed ganrif y datblygodd
a blodeuodd yr hadau meddwl a blannwyd
yn Ewrop yng nghychwyn oesoedd
gwyddoniaeth gan Bruno a Galileo. Beth
bynnag am hynny, y mae'r gwahaniaeth
rhwng Bach a Beethoven yn debyg yn y
bôn i'r gwahaniaeth rhwng Racine a
Rousseau, neu rhwng Tudur Aled a Phant-
ycelyn.

Er mwyn egluro'r egwyddor newydd
hon, bydd yn gyfleus sylwi ar ddwy nodwedd
ym mhrydyddiaeth Williams a'u cymharu
â'r nodweddion cyferbyniol yng ngwaith y
beirdd clasurol. Yn gyntaf craffwn ar

gymeriad mewnol ei weithiau. Gwelodd ef
ei hun fod 'y gair bychan atgas hwnnw, y
FI yn ambell un ohonynt '.[1] Doniol yr
' ambell un '; canys ambell un yn unig o'r
holl emynau a wnaeth erioed sy'n rhydd
oddiwrth y gair. Yn ei unigedd nid oedd
ganddo i ganu amdano onid ef ei hun.
Dyna'n sicr achos llawer o'i wendidau,
ond dyna hefyd elfen ym mhwysigrwydd
eithriadol ei waith. Enillodd gyfandir
newydd i'r awen, daear wyryfol nas
troediodd neb bardd yng Nghymru o'r
blaen. Daear beryglus yn ddiau, ac fe
dyfodd beirdd ar ei ôl ef lysiau gwenwyn-
ig arni, sentimentaleiddiwch ac afiechyd
moesol a meddalwch gorsynhwyrus. Ond
ef oedd y bardd cyntaf i droi profiadau
mewnol a chyflyrau enaid yn brif ddeunydd
barddoniaeth. Nid ef oedd bardd crefyddol
cyntaf y Gymraeg. Yr oedd y cyfnod
Clasurol yn gyfoethog mewn barddoniaeth
grefyddol, a rhoes beirniadaeth y cyfnod
le blaen iddi. A diau bod y canu hwnnw
yn fwy crefyddol mewn un ystyr na
chanu Williams, oblegid mai canu gwrth-
rychol, moliant, ydoedd. Yn y gwraidd,
nid bardd crefyddol oedd Williams, ond
bardd eneidegol, bardd ei brofiadau'i hun.
Digwyddodd mai crefyddol, neu'n hytrach,
mai duwiol oedd y profiadau hynny, ac
felly crefyddol neu dduwiol yw cymeriad

---

[1] *Rhai Hymnau a Chaniadau Duwiol*, 1757, tud. 47.

ei waith. Nid pwnc i feirniadaeth lenyddol yw penderfynu a ddylid canu emynau Williams yn gynulleidfaol; ond y mae'n iawn dangos mai barddoniaeth y Seiat, y gyffesgell, ac nid barddoniaeth moliant a'r gwasanaeth cyhoeddus yw holl ganu Panty-celyn. Y mae i'r ddau eu lle yn y bywyd Cristnogol.

Sylwn yn nesaf ar ddull Williams o drin defnyddiau barddoniaeth. Cawn sôn yn fanwl mewn pennod arall am nodweddion ei arddull. Yma ni raid ond dangos bod ei amcan pan ddefnyddiai iaith yn wahanol i amcan y Cyfnod Clasurol. Creu ceinder, symbol o berffeithrwydd, oedd delfryd y beirdd clasurol. Gan hynny yr oedd eu parch i'r Gymraeg yn ddiderfyn, ac i eiriau unigol a oedd yn elfennau melyster. Ni cheir fyth neb ohonynt yn achwyn ar yr iaith, na'i chael hi'n annigonol i'w amcan. Yn hytrach, astudio geiriau a'u caru. Bodlonent ar lenyddiaeth. Nid moddion na chyfrwng i gyrraedd rhyw nod arall y tu draw iddi ei hun oedd iaith; eithr diben, peth synhwyrus a ddigonai'r glust a'r galon.

Nid felly i Bantycelyn. Ni pharchai ef eiriau o gwbl, ond eu darnio a'u hanafu. Y mae'n debyg gennyf mai'r llinell hon yn *Theomemphus* :—

" Yn Constant fawr inople,"

yw'r llinell waethaf mewn barddoniaeth
Gymraeg, ond ceir ugeiniau â gystadlai â
hi yng ngwaith Williams. Nid na allai
yntau greu llinellau a phenillion melys i'r
glust. Ceir ganddo gannoedd ohonynt
hwythau. Ond nis ceisiodd hwynt, a
difwriad yw melyster ei emynau. Nid
yw'r tlws na'r melys yn nodweddiadol o'i
arddull ar ei gorau. Canys nid yn unig
nad oedd ganddo barch at eiriau, nid oedd
ganddo ychwaith barch at farddoniaeth.
Cyfrwng oedd hi iddo, cyfrwng dynol,
meidrol, ac felly'n amherffaith. Digiai
wrthi, wrth ei ffigurau a'i chyffelybiaethau
a oedd yn annichon i'w amcan ef :—

"Does gyffelybiaeth is y nefoedd,
    Ag yn gywir draetha ma's
  Ddistaw, ddirgel, bur brofiadau
  Ac och'neidiau'th nefol ras."

Nid yn aml y mynega Williams ei syniadau
beirniadol mor eglur ag yn y pennill hwn.
Dyma un o'i ddywediadau pwysig, ac o'r
diwedd dyma ateb i'r cwestiwn : paham y
sgrifennai? Nid er mwyn melyster na
diddanwch, ond er mwyn 'traethu maes
ei brofiadau'. Cywirdeb, nid ceinder, yw
ei amcan mewn barddoniaeth. Mynegi'n
gyflawn y profiadau dirgelaf na cheisiodd
neb o'i flaen eu rhoi mewn geiriau. Am
hynny y digiai wrth yr iaith ac wrth
farddoniaeth, am eu bod mor feidrol,

mor anghyfarwydd yn y gwaith dieithr
hwn:—

> " Ac ni alla' i fyth fynegi,
>   Pe anturiwn tra fawn byw,
> Pa mor hyfryd, pa mor felys,
> Pa mor gryf ei gariad yw."

Cawn weld eto mai'r anturiaeth hon i
' fynegi ' sy'n esbonio holl brif nodweddion
ei arddull. A dyma'r gair ' mynegi ' bellach
wedi cychwyn ar ei yrfa mewn beirniadaeth
lenyddol Gymraeg.

Paham y ceisiai fynegi ei brofiad? Onid
yw mynegiant yn arwain yn ôl at y syniad
cymdeithasol am lenyddiaeth? Canys pa
fudd sydd i'r dyn unig o fynegi dim? Bu
llawer o astudio ar y cwestiwn hwn, a'r
ateb a eglura orau farddoniaeth Pantycelyn
ac y sy'n agosaf i'w feddwl yw ateb
Benedetto Croce, yr athronydd o'r Eidal.
Deil Croce yn ei lyfr ar "Estheteg" fod
mynegi profiad yn rhan o'r profi, yn foddion
i feddiannu'r profiad yn llawn. Dywed pobl
weithiau fod ganddynt yn eu pennau
syniadau dyfnion a mawr, er na allant eu
mynegi. Ond pe byddai'r syniadau gan-
ddynt, fe'u rhoddent mewn geiriau. Os
tlawd yr ymddengys eu syniadau pan
ddywedont eu cynnwys, y rheswm yw
mai tlawd yn wir ydynt. Cred rhai pobl
eu bod hwythau'n gweld ac yn dychmygu
fel Raphael, ac mai unig fantais Raphael

oedd gallu ohono roi a welodd ar gynfas.
Ond y gwir yw mai prin a niwlog yw
gweledigaeth y mwyafrif mawr. Bod-
lonant ar farnu: ceffyl yw hwn, dyma
ddyn, mae hwn yn drwm, het lwyd yw
honno. Ond fe sylla'r artist, a syllu'n hir
oni welo, a gweld yn llawn. A'i weledigaeth
yw ei fynegiant. Trwy fynegi peth fe'i
deil yn bendant ac yn fanwl o flaen ei
feddwl. Y mae'n meistroli a meddiannu
ei brofiad. Cawn weld eto, yn arbennig yn
y bennod olaf, mor agos yw meddwl
Croce i un o brif bwyntiau athroniaeth
Pantycelyn.

Dyma ni'n rhoi dwylo bellach ar ddir-
gelwch bywyd a gwaith Williams o Bant-
ycelyn, ac yn dod o hyd i sail ei bwysig-
rwydd yn hanes meddwl. Yn ôl damcan-
iaeth Williams y mae llenyddiaeth yn
ddull o fyw. Nid diddanwch yw ei diben,
ac nid ynddi ei hun y mae ei gwerth hi.
Cyfrwng yw hi i feddiannu bywyd yn
llwyr, i ddal profiad yn bendant fel fflam.
Bwrier at hynny, a dyna fel y bu hi yn
hanes Williams, mai ymchwil am Dduw a
darganfyddiadau o olion Duw ar yr enaid
yw'r profiadau a ddewisodd ac a geisiodd,
ac fe ganlyn bod mynegi'r rheini yn
rheidrwydd moesol, a bod barddoniaeth
gan hynny'n offeryn i feddiannu Duw
yn llwyrach. A'r profiad sy'n bwysig.
Nid yw'r mynegiant yn ddim ynddo'i

hun; ond trwy farddoniaeth fe â'r bardd heibio i farddoniaeth at y datguddiad dwyfol:

"Ehengir f'enaid
I 'nabod datguddiaethau'r nef."

Ceir effeithiau pwysig eraill. Cynnyrch ewyllys y bardd oedd y farddoniaeth glasurol, ac yntau bob amser yn feistr, yn bensaer, yn cynllunio harddwch. Nid yw barddoniaeth Williams o gwbl dan lywodraeth ei ewyllys. Dibynna'n hytrach ar y profiadau a ddigwydd iddo, y cynyrfiadau na all ef mo'u galw pan fynno. Yn ei gyngor i emynwyr, a gyhoeddwyd yn ail ran *Ffarwel Weledig*, ceir y rhybudd hwn: " Peidio gwneud un Hymn fyth nes y byddont yn teimlo eu heneidiau yn agos i'r nef, tan awelon yr Ysbryd Glan". Hynny yw, mewn termau lleygol, cymryd celfyddyd oddiwrth reolaeth yr ewyllys a pheri iddi ddibynnu ar gynhyrfiad cyfrin na ellir mo'i reoli o gwbl. Ac felly, wrth reswm, nid hawdd i'r bardd feirniadu ei ganu. Oblegid gwaith y meddwl yn ei reoli'i hun yw beirniadaeth; a rhyfyg fyddai beirniadu 'yr Ysbryd'. Dengys degau o weithiau Williams fod dianc fel hyn rhag beirniadaeth yn berygl. Yn aml ddigon fe gyfansoddai dan ysbrydoliaeth fel y credai ef, ond heb brofi yr ysbrydion.

Effaith arall. Yr unig ddull y galler gafael ar brofiad mewnol a'i fynegi'n gywir yw trwy ymholi a dadansoddiad eneidegol. Rhaid i'r bardd ei ddisgyblu'i hun i fyfyrio ar ei deimladau a'u dosrannu a'u trefnu onis traether oll o'r bron. Dyna'n wir ei brif ran ef yn ei farddoniaeth. Oblegid peth a roddir iddo yw'r deunydd, ' awelon yr Ysbryd Glan' sy'n chwythu lle y mynnont. Felly y mae ymchwil eneidegol yn rhan anhepgor yng ngweithgarwch y bardd. Fe esbonia hynny un o syniadau llywodraethol Pantycelyn, a bydd yn rhaid ei drin yn gyflawn yn y llyfr hwn. Esbonia hefyd bwysigrwydd y dylanwad cryfaf a fu ar ei fywyd ac ar ei farddoniaeth, sef y Seiat. Rhaid i bob ymgais at ddeall Williams ddechrau gyda'r " Society Profiad".

Byw trwy lenyddiaeth, dyna felly ddirgelwch Pantycelyn. Gresynodd rhai beirniaid oblegid mai ychydig o hanes y bardd sydd ar gael. Dengys eu gresynu na ddeallasant mo'i gyfrinach. Y mae holl hanes sylweddol Williams ar gadw. Ei farddoniaeth yw ei gofiant cyflawn. Trwyddi gellir olrhain ei yrfa o gam i gam, o ddatguddiad i ddatguddiad, a gellir gweld hefyd y pwynt lle y paid ei dyfiant, lle y darfu'r datguddiad. Gellir rhoi bys ar y caneuon gwag, a ganai'r bardd oblegid mynd canu'n drech nag ef, yn arfer, ac yntau'n ei dwyllo'i hun bod

yr 'awelon' yn parhau i'w gymell. A
thrwy'r syniad hwn am lenyddiaeth fel
'gyrfa', fe welir yr unoliaeth sy'n ei
ganu. Gorwedd unoliaeth gwaith y beirdd
clasurol yn eu hewyllys a'r delfryd artistig
a'u llywodraethai. Ond peth a dyf o'i
fywyd heb iddo ei fynnu yw unoliaeth
gwaith Williams. Hynny yw, gan fod ei
farddoniaeth yn gynnyrch ac yn symbol
ei ddatblygiad ysbrydol, y mae'r caneuon
hwythau'n ymgysylltu'n organig â'i gilydd
er mwyn amlygu cysondeb ei fywyd. Ceir
yn *Aleluia*, y casgliad cyntaf o'i emyn-
au, ddechrau darlun ei brofiad; gwelir ei
gyflawni yng *Ngolwg ar Deyrnas Crist*,
y *Môr o Wydr*, *Theomemphus*, *Ffarwel
Weledig*, *Gloria in Excelsis*, a'r gweithiau
rhyddiaith. Fel y dywedwyd, ni chymell yr
ysbryd byw bob un o'r rhain fel ei gilydd.
Ceir gan Williams rai gweithiau 'di-awelon',
megis mwyafrif y *Marwnadau*:[1] Canol-
bwynt ei holl waith yw *Theomemphus*.
Dyma'r ymgais gyflawnaf i gyfleu profiadau

---

[1] Y rheswm yw mai ychydig o brofiad personol sy'n y
Marwnadau, a Williams felly y tu allan i'w faes priodol.
Yr orau ohonynt, ag eithrio *Maria Sophia* sydd ar ei phen
ei hun, yw *Marwnad Howel Harris*, lle y ceir dadansoddiad
eneidegol. Am y gweddill, maent yn undonog ac yn aml
yn ddi-urddas. Ynddynt y gwelir gwaethaf cymeriad
Williams. Dyma ddwy enghraifft :—

"Gwrandaw, angeu cas di-ffafar,
Pam y t'rewaist ddyn gwas'naethgar ?
On'd oedd myrdd 'r hyd bryniau a bronydd
Mwy eu hoed a llai eu defnydd ?
Pa sawl plwyf sydd yn ochneidio

sylfaenol ei fywyd. Ein harwain at
Theomemphus a wna'r hymnau cynnar.
Dibynna'r hymnau diweddarach ar *Theo-
memphus*. Cân am droedigaeth yw'r gân
hon. Megis y dibynnodd bywyd Williams
ar ei brofiad o droedigaeth, felly y trefnir
ei waith o gwmpas y mynegiant llawnaf
o'r profiad hwnnw.

Bellach y mae'n eglur bod yn rhaid
derbyn barddoniaeth Pantycelyn fel gyrfa.
Ond er hynny, ac er y dylid cydnabod ei
hawl ef i fynd heibio i lenyddiaeth, eto
rhaid i feirniadaeth lenyddol aros yn llen-
yddol. Y mai'n iawn ac yn rhaid iddi
ddilyn y bardd a thrin materion eneideg a
diwinyddiaeth. Ond wedi hynny priodol
yw iddi ddychwelyd i dir sicr yr estheteg
Gymreig, a rhoi'r prif le i gelfyddyd llen-
yddiaeth. Trwy'r llyfr hwn fe erys y
cwestiynau hyn yn gyson yn ein meddwl:
beth a wnaeth Williams â geiriau, â mydr,
ac ag odlau? Sut y tyfodd ei grefft a
pha ddatblygiadau technegol yn ei eirfa,

Am ladd tlodion ag sydd arno ?
Hwy gant fyw, ddiles griw " etc.

(CYNHAFAL I, 464).

Ac eto :—

" Lle'r oedd mil a mil drachefn
O rai diffrwyth yn y byd,
Deillion, cloffion, gwywedigion,
Oedd yn chwyddo'r trethi o hyd."

(IBID I, 523)

I bobl gefnog y sgrifennai Williams farwnadau.

ei fesurau, a'i ddull o drin iaith, sy'n dilyn ei ymdrech barhaus i ddatguddio profiadau newydd? Beth yw nodweddion ei arddull? Beth a wnaeth ef â'r iaith Gymraeg, a pha oleuni newydd a deifl ei ymdrechion ef ar gymhwyster yr iaith i gyflawni gofynion bywyd? Ac nid y cwestiwn lleiaf fydd hwn: beth yw gwerth ei syniad newydd ef am farddoniaeth, ac a ellir ei gyfuno â'r hen estheteg Gymreig?

Ond y mae un cwestiwn cyffredin mewn beirniadaeth na raid inni ddim ei drin. Wrth astudio bardd fel Goronwy Owen, sy'n grefftwr yn y dull clasurol, pwysig yw chwilio o ble y cafodd ef ddeunydd ei waith, a pheth a fenthygiodd ef gan eraill. Trwy ddeall hynny gellir gwerthfawrogi'n well ei gelfyddyd, y modd y triniodd ef y deunydd. Yn awr, diamau i Williams gymryd llawer syniad oddiwrth Bunyan, Milton, Young, Watts, ac aml fardd Saesneg arall, a gellid rhestr faith o'i fenthygion. Byddai ymchwil fel yna yn gwbl ddi-fudd, oblegid ni oleuai ddim ar brofiadau Pantycelyn, yr unig beth pwysig. Ar y cwestiwn hwn y mae rhagymadrodd *Golwg ar Deyrnas Crist* yn derfynol:—

" Mi wnes fy ngorau wrth gyfansoddi hyn o lyfr am ddarllain llyfrau at yr achos fal oeddwn yn myned trwyddo, a rheiny, os gallwn, yn union gred a iachus. A phan gwelwn rywbeth at fy mhwrpas cymerwn swm hynny i fy meddwl, ac yna rhown

faint o'i sylwedd i lawr wedi ei wisgo â fy ngeiriau fy
hun; ond megis yn gyntaf ymborthu arno fel fy
eiddo fy hun a'i gymysgu a'r hyn oeddwn wedi wau
o fy meddyliau eusys."

Ni ellir dadlau â sicrwydd a gonestrwydd
y geiriau. Y mae holl wreiddiau barddon-
iaeth Pantycelyn yn ei brofiad ei hun.
Ni wiw inni sylwi ar ei fân fenthygion,
ond yn unig o dro i dro ddangos y cysyllt-
iadau hynny â llenyddiaeth a fo'n gymorth
i ddeall twf ei feddwl. Rhaid i ninnau
gymryd bywyd a gwaith Pantycelyn yn
brofiad. Felly yn unig y byddant yn
fuddiol.

II

DRWS Y SOCIETY PROFIAD

Yn y flwyddyn 1771 cyhoeddodd Williams
lyfr rhyddiaith dan y teitl: *Templum
Experientiae Apertum, neu Ddrws y Society
Profiad . . . mewn saith dialog ar ddull
o ymddiddan rhwng Theophilus ac Eusebius.*
Yr oedd yn briodol i'r llyfr ymddangos yn
yr un flwyddyn ag y dechreuwyd cyhoeddi
Gloria in Excelsis, nid ysgub olaf emynau'r
awdur, ond yr olaf o bwys. Bu fyw am
ugain mlynedd wedi hynny, ond ni ellir
cymharu cynnyrch y cyfnod hwnnw â
gwaith y deng mlynedd ar hugain cynt.
Y mae'r llyfr rhyddiaith hwn megis clo
ar y rhan bwysig o'i yrfa, a thrwy *Ddrws y
Society Profiad* y mae mynd i mewn i
deml barddoniaeth Pantycelyn.

Yn ôl ei dystiolaeth ei hun[1] bu'n cadw
Seiat o'r pryd y dechreuodd farddoni. Ef
yn anad neb a roes iddi ei lle ym mywyd
crefyddol y Methodistiaid ac a luniodd ei
method a'i threfn. Bu eraill yn bregeth-
wyr enwocach, ond yn y Seiat ni bu

[1] Rhagymadrodd i *Theomemphus*, 1764.

42

o'r holl ddiwygwyr ail iddo ef. Ac i'w gyfoeswyr y sefydliad hwn oedd cynnyrch dieithriaf y Diwygiad:—"Rhai ddywedant gyda ni nad oes sylfaen iddynt o'r Ysgrythyr-lân, ac nad oedd y fath ymgynulliad dirgel ddim yn cael ei arferyd yn yr eglwys Iuddewig, nac 'chwaith tan y Testament Newydd, na chan y Diwygwyr oddiwrth y grefydd Babaidd, ond mai rhyw drefn newydd ddaeth gan y Methodistiaid i mewn yw hi":[1] Yn yr ymchwil hon am gynseiliau fe welir bod un angof. Ni ddywedir dim am y grefydd 'Babaidd'. Mewn paragraff maith fe geisiodd Williams droi pob math o gyfarfod y ceir hanes amdano yn y Beibl yn enghraifft gynnar o Seiat, ond yn y diwedd ei wir ddiffyniad yw bod Seiat yn angenrheidiol:—"Pe bai heb un instans nac esiampl o'r Hen Desta-ment na'r Newydd i'w gael, mae buddioldeb y fath gyfarfodydd ynddo ei hunan yn ddi-gon i gadarnhau eu bod hwy wrth fedd-wl Duw".[2] Dyna'r diheurad gorau; canys wedi dwy ganrif o ddrysni a difrawder, pan gynhyrfwyd y Cymry unwaith eto gan brofiadau crefyddol, bu'n rhaid er mwyn iechyd meddwl dynion a'u harbed rhag gwall-gofrwydd, atgyfodi mewn rhyw fodd gyffes yr eglwys Gatholig, a dyna oedd y Seiat.

Ond cyn y galler bod Seiat, rhaid bod profiad, a hwnnw'n brofiad eithriadol o

<hr>

[1] Cynhafal, II, 486.   [2] Cynhafal, II, 487.

wanu enaid.[1] Dechreua'r llyfr drwy ddis-
grifio cyflwr Gwlad Cwsg, sef Cymru cyn y
Diwygiad. Gwlad grefyddol yw Gwlad
Cwsg, ac ynddi wasanaeth ac ordinhadau,
a bywyd yno'n rheolaidd a di-stŵr, a
dynion yn priodi a magu plant mewn
heddwch; ond i Williams y bywyd tawel
hwn yw'r drwg pennaf:—"Rhai wedi ym-
roddi i gnawd ac anlladrwydd, megys yn
nyddiau Noah—gwreica, gwra, priodi, a
rhoi mewn priodas, a mi fy hun yn mron
digaloni". Ond ar haf y tawelwch hwn
tyrr tymestl y cyffro crefyddol:—" Y fflam
a ymaflodd yn ereill—fe ddihunodd pob
rhai—yr ysbrydoedd mwyaf oer a difraw
a ymaflasant ac a wresogasant—ymdrech ac
ymorchestu a gwympodd ar bawb . . .
dyblwyd gweddi, canu, canmawl, a ben-
dithio heb neb yn blasu ar ddiwedd: rhai
oedd yn awr yn wylo, rhai yn moli, rhai yn
canu, rhai yn hyfryd nefol chwerthin, a
phawb yn synu, yn caru, ac yn rhyfeddu
gwaith yr Arglwydd . . . rhai oedd yn
cael eu hargyhoeddi bob oedfa—un llangc
oddiwrth gyfnewidiad ei gyfaill yn yfed
argyhoeddiad—un chwaer oddiwrth chwaer
arall—gŵr oddiwrth ei wraig, gwraig
oddiwrth ei gŵr, a chariadau yn derbyn
argyhoeddiad oddiwrth eu cariadau".

[1] Dangoswyd yn y bennod gyntaf fod hyn yn wir hefyd
am farddoniaeth Williams. Un enghraifft o'r berthynas
rhwng y Seiat a'i ganu.

Cynhyrfwyd rhai henafgwyr gan y cyffro hwn, ond yn arbenicaf yr ifainc:—"aneirif yw eu temtasiynau. . . . Ond chwi a ddeallwch rai ohonynt pan yr ystyrioch eu hoedran a'u hamgylchiadau—*sef cwmpeini o lanciau hoenus a gwrol, tyrfa o ferched yn eu grym a'u nwyfiant, dynion y rhan fwyaf ohonynt ag sy gan Satan le cryf i weithio ar eu serchiadau cnawdol*".

Er mwyn deall meddwl a barddoniaeth Williams o Bantycelyn, rhaid dal hyn yn gyson mewn cof: ei fod yn edrych ar y Diwygiad fel profiad llanc.[1] Yr oedd ganddo reswm neilltuol dros hynny. Profiad llanc oedd ei droedigaeth ei hun. Ychydig a wyddom ni am fanylion ei fywyd cyn 1738, ond y mae'n nodedig bod ei fryd pan oedd yn yr ysgol ar fynd yn feddyg, arwydd bod tuedd ynddo er yn ifanc i ymroi i waith dadansoddi cyflyrau corff a meddwl dyn. Yna, ac yntau'n gorffen ei addysg, yn wynebu ar y dyfodol ond heb benderfynu beth a wnelai, yng nghyflawnder ei lencyndod, yn yr adeg fwyaf dramatig yn hanes dyn, yn un ar hugain oed, fe glybu Howel Harris yn pregethu, a newidiwyd holl amcanion a dull ei fywyd. Y profiad hwnnw a'r profiadau a'i dilynodd yw deunydd y cwbl o'i farddoniaeth. Chwilio'r

---

[1] Trwy'r llyfr hwn llanc = *adolescent*; llencyndod = *adolescence*, yn yr ystyron technegol sydd i'r geiriau mewn eneideg. Cân am adolescent yw "Atgof, Stori *llanc* synhwyrus" Mr. Prosser Rhys.

profiad hwnnw, craffu ar ei effeithiau,
datguddio cyflwr ei enaid cyn ei brofi,
datgan yn fanylach fanylach ryfeddod y
peth, ei olrhain yn ei holl droion, byw
ynddo a'i adnewyddu mewn myfyrdod a
thanbeidrwydd atgof, dwyn ei feddwl yn
gyfan, ei ymwybod a'i ddiymwybod, i
mewn i unoliaeth dangnefeddus y profiad
hwn, dyna nod ei yrfa farddonol. A rhan
o'i yrfa farddonol, rhan o'i fethod mewn
barddoniaeth, yw'r Seiat.

Dwy brif elfen yn y method hwn yw
cyffes a dadansoddiad eneidegol, neu ym-
chwil drefnus i gyflwr enaid, a'r rheini yw
swydd arbennig y Seiat. " Society cyfaddef
gwendidau a llygredigaethau ydyw hon,"
medd Theophilus yn ail bennod y llyfr,
a'r ddau amcan blaen sydd iddi yw "cadw
i fyny yr un gwres a bywyd ag y dechreu-
asom ynddo, ac [yn ail] dadrus amryw
rwydau a maglau dirgel oedd Satan wedi
eu gwau tuag at ddala'r credadyn syml ar
ei dir ei hunan . . . ac yn yr achos hyn
da yw i seintiau ddyfod yn nghyd i chwilio,
i holi, ac i fynu adnabod natur y profedig-
aethau fo wedi dal gweiniaid." Nid oes
dim yn hynotach yng ngwaith Pantycelyn
na'i amgyffred o beryglon troedigaeth a
phrofiadau duwiol. Yn hynny y mae'n
debyg i'r Santes Teresa. Megis yr amheuai
hithau ei llewygon ysbrydol a'i gweledig-
aethau, felly Williams ei brofiadau yntau :—

" Mae'r diafol yn ysbryd cyfrwys, fe ym-
rithia ei hun fel angel goleuni." Oblegid
hynny, fel na lwyddid i 'ddallu'r etholed-
igion', yr oedd 'Chwilio a holi a mynnu
adnabod' yn fuddiol. Er enghraifft, fe
ddangosodd eneidegwyr diweddar fod melan-
coli yn un o briodoleddau llencyndod.[1]
Deallodd Williams berygl hynny:—" Mae
amryw saint ieuaingc yn tybied mai calon
friw yw ysbryd melancoli, ac angen yw
i dduwiolion i ymgynull yn nghyd i ddadrys
Cristnogion gweinion o'r maglau hyn."

Offeryn gan hynny yw'r Seiat i gadw
gwres y profiad cyntaf, ac i arwain gyrfa'r
Cristion ar hyd llinell gyfeiriol ei droedi-
gaeth. Meithrinodd hithau ei chelfyddyd
ei hun mewn cyffes ac mewn holi. Ond yr
oedd i gyffes gyhoeddus ei pheryglon, yn
enwedig i rai'n syfrdan gan eu profiad
cyntaf, fel 'plantos newydd ddyfod i brofi
hyfryd bethau Duw'. Y mae amryw
bethau ni ddylid eu cyffesu mewn Seiat.
" Fe gyfeiliornodd rhai eglwysi trwy fynegu
gormod o'u llygredigaethau, eu haflendid,
eu trais, eu hanonestrwydd, eu hanniweir-
deb," nes "gwneud ysgariaeth mewn teulu-
oedd, cynulleidfaoedd, a gwladwriaeth."
Ni ddylid felly "ddodi pechodau rhai eraill
allan gyda'u pechodau eu hunain, neu

[1] *Vide* J. W. Slaughter, *The Adolescent*, tud. 32. Am
rybudd Teresa yn erbyn melancoli a'i dwyll, gweler Pourrat,
La Spiritualité Chrétienne, III, 264. Rhoes Teresa bennod
gyfan o'i llyfr ar *Sylfeini* i drin peryglon melancoli.

ddadguddio pethau am danynt eu hunain hefyd ag fyddai yn gywilydd byth iddynt hwy a'u plant." Serch hynny, fe wybu Williams fel y gŵyr pob eneidegydd, fod mynegi'r pethau hyn yn aml yn rheidrwydd er mwyn rhyddhau'r meddwl yn ei gyflwr syfrdan o'i ddrysni a'i gaethiwed. Heb hynny fe gollid yr ymdeimlad o 'faddeuant' sy'n sylfaen iechyd ysbryd.[1] Gorfu arno felly gyfaddef priodoldeb cyffes ddirgel; a hynny, fel yr awgrymodd, a fuasai datblygiad naturiol y Seiat, megis mai hynny fu datblygiad cyffes yr eglwys Gristnogol fore. Un o swyddi arbennig 'stiward' y Seiat oedd gwrando profiadau neilltuol a chynghori yn eu hachos:—"Mae offeiriaid eglwys Rhufain—ag sydd yn cael cwnsel yr holl bobl o'r brenin i'r ysgubwr simneuau—yn medru cadw dirgelion yr eglwys tra font byw yn y byd . . . llawer rhagor dyled y wir eglwys yw cadw yr hyn roir iddi i'w chadw. . . . Mae llawer o bethau gan ddynion duwiol i siarad a'u hathrawon yn neillduol, nas gallant eu mynegu ond wrth ryw un neillduol, a hwnw y cyfryw ag na cheir clywed gair o'i enau byth mwy am dano,

---

[1] "Canys un o'r dibenion mwyaf sydd i fod gan gredinwyr i adrodd eu profedigaethau, eu cystuddiau, a'u haml wendidau yw er mwyn cael nerth ragor yn eu herbyn." Op. Cit. II, 527. Gŵyr eneidegwyr meddygol (*psycho-therapists*) mai eu diffyg mawr hwy wrth drin llawer claf a ddelo atynt yw na allant roi 'maddeuant' iddo, ac am hynny mo'i iachau.

ond rhoi cyngor ac addysg, a thaer weddio
ar Dduw am waredigaeth o'r unrhyw.
Amryw feichiau trymion sydd ar ysgwyddau
gwragedd yn berchen gwŷr annuwiol, nad
allont fynegu o flaen y gymdeithas. Weith-
iau gwŷr priod tan feichiau trymion o ran
eu gwragedd, ac yn byw mewn angen
mawr o gynghorion ac addysgiadau nefol
i ymddwyn atynt. Weithiau meibion dan
demtasiynau poethion at wyryfon uwchlaw
neu islaw eu gradd i'w priodi; a phrydiau
ereill gwyryfon hwythau yn byw ar ochen-
eidiau cariad heb neb i fynegu eu meddyliau
na'u cynorthwyo i ddal eu baich. Yn y
fath achosion, angen yw yn fynych osod y
peth o flaen brawd ffyddlon, cywir, dystaw,
ag a gymero ran o'r baich arno ei hun, ac
a'i gosod o flaen gorseddfaingc y gras hyd
onis teimlo y dyn gorthrymedig a adroddodd
ei gwyn a'i archoll, esmwythad a llon-
yddwch o'i flinder a'i brofedigaeth.''
Ond yn ei ddosbarth ar y temtasiynau
y dengys Williams yn arbennig ei athrylith
eneidegol. A phriodol yw aros yma, ar
gychwyn ein hefrydiaeth, i sylwi ar yr
elfen hon yn ei waith a mawrygu ei phwys-
iced. Yn naturiol, eneideg ei oes a geir
ganddo, a dull meddygon ac athronwyr
ei oes o ddosbarthu'r enaid yn nifer o
'rannau'. Traetha am 'ryw un o ranau
yr enaid—y deall neu yr ewyllys, neu rhyw
un o nwydau yr enaid', a dealler mai

ystyr ddiragfarn a gwyddonol sydd i'r gair 'nwyd' yma, megis gan amlaf yn ei farddoniaeth. Wel, fe roes eneideg y syniadau hyn heibio. Nid ydys mwyach yn sôn am y deall na'r ewyllys na'r nwydau fel rhannau ar wahan yn y meddwl, ond yn hytrach fel agweddau gwahanol ar weithrediad y meddwl. Ac nid termau'r awdur yn unig a newidiwyd. Esbonia gwyddonwyr heddiw y ffeithiau a ddisgrifir ganddo yn wahanol. Ond y peth a erys o waith Williams gan brofi ei athrylith ryfedd, yw ei ddisgrifiad o'r ffeithiau. Cofiwn iddo feddwl unwaith am fynd yn feddyg. Diau bod ganddo'r ddawn. A'r hyn a wnaeth wedi ei droedigaeth oedd cysegru'r ddawn honno i wasanaeth eneid-iau ac i wasanaeth ei awen. Ef oedd prif sefydlydd y Seiat, a chlinig enaid oedd y Seiat. Yn ei weithiau, y llyfr rhyddiaith hwn a'r emynau a *Theomemphus*, ceir y diagnosis manylaf a chywiraf o gyflyrau meddwl llanc dan brofiad troedigaeth ac ar ôl hynny, a welwyd erioed mewn llenyddiaeth. Ni wn ond am un llyfr tebyg iddynt, a hwnnw yw *Cyffesion* Awstin Sant, a rydd hanes troedigaeth o fath tra gwahanol. Cawn ddangos eto, pan astudiom *Theomemphus*, mai celfyddyd y Seiat, sef cyffes a dadansoddi profiadau gan y 'stiward', y Tad Alethius, yw canol-bwynt y gân honno. A rhan o werth neilltuol *Drws y Society Profiad* yw ei fod yn esboniad anhepgor ar brif waith Pantycelyn.

Gwelir craffter eneidegol y bardd yn arbennig yn ei ymdriniaeth â themtasiynau. Gellir eu rhannu'n ddau ddosbarth, y rhai y dylid eu cyffesu a'r rhai nis dylid: "Mae gwahaniaeth rhwng profedigaethau ar y meddwl a meddwl gwibiog; mae'r gynta' yn dyfod gyda grym ac awdurdod parhaus ar ryw un o ranau yr enaid . . . a hyn oll yn para gyda grym ar yr ysbryd tros gryn ronyn o amser . . . y cyfryw ag fo yn cael effaith lawn ar yr enaid . . . yn glynu yn barhaus ar y serchiadau." Dyna'r profedigaethau peryglus, y dylid eu cyffesu a'u chwilio fel na fagler yr enaid trwy 'anadnabyddiaeth y chwant', gelyn pennaf y Seiat. Yr enghraifft safonol o brofedigaeth o'r math hwnnw yw cariad Theomemphus at Philomela. Yna disgrifir y profedigaethau atgas, ond nad yw'n wiw eu cyffesu namyn i Dduw neu i gynghorwr doeth. Yn y seithfed dialog rhennir y rhain yn dri dosbarth, ond un yw eu hansawdd eneidegol:—"Nid oes gan natur nemawr neu ddim llaw yn y rhai'n . . . Y rhai'n sydd fel mellten yn taro i mewn i 'stafell yn peri dychryn i bawb, ond nid yn y 'stafell yr oedd y natur ohoni. . . . Meddyliau gwibiog, crwydredig ag sydd yn rhedeg i mewn fel afon lifeiriol i'n

hysbrydoedd . . . pa dorfeydd ohonynt
sydd yn ddisylwedd . . . rhai o ofn, rhai
o hyder cnawdol, rhai o garu, rhai o gasau,
rhai o alar, rhai o ddymuno rhyw bethau,
rhai o ffieiddio pethau eraill, a thorfeydd
aneirif yn cynwys awydd at y byd neu an-
foddlonrwydd ynddo. . . . Nid da adrodd
pob temtasiwn wyllt a ddelo i gynhyrfu
ein nwydau pan na bo hi o hir barhad nag
o dderbyniad ewyllysgar . . . meddwl-
gwibiog nid yw ond peth sy'n nofio ar yr
wyneb ac yn cyfnewid o un peth i'r llall
mewn mynyd."

Nac anghofiwn newyddwch y disgrif-
iadau hyn. Yn y llenyddiaethau Prot-
estannaidd dyma'r ymgais gyntaf i roi
dosbarth ar brofedigaethau'r meddwl a'u
darlunio'n fanwl. Mewn eneideg y bu
diwinyddiaeth Brotestannaidd bob amser
yn wan, a dyna lle y mae cryfder eithriadol
Williams. Bid sicr, yr oedd iddo un
anfantais, sef diffyg termau. Collasid term-
au'r hen ddiwinyddion, ac nid oedd termau'r
gwyddonwyr modern eto mewn bod.
Ond goresgyn ei athrylith yr anfantais,
canys o ddiffyg termau pendant fe ddewis-
odd gymariaethau a throsiadau, a throi
traethawd gwyddonol yn ddarn o lenydd-
iaeth. Byddai'n dda gan Freud ei hun am
gymhariaeth oleulon y fellten mewn ystafell.

Craffer hefyd ar gywirdeb y disgrifiad.
Yma fe ddarluniodd Williams gyflwr

meddwl a gafodd gryn sylw gan eneidegwyr
diweddar. Profedigaethau, ebr ef, yw'r
rhai hyn "nad oes gan *natur* ddim llaw
ynddynt . . . nid ydynt o dderbyniad
ewyllysgar", ond deuant yn sydyn i'r
ymwybod gan "gynhyrfu y nwydau".
Satan yw eu hawdur.[1] Gwelir felly fod
yn cydnabod yma wahaniaeth rhwng
y 'natur ewyllysiol' a'r 'cynyrfiadau
nwydus' nad oes gan y dyn ddim llywod-
raeth arnynt, ond sy'n ei flino. Cydnab-
yddir heddiw yr un ddeuoliaeth ynghyd â
gwirionedd y disgrifiad. Nid oes anghy-
tundeb ond mewn termau ac esbonio achos
y temtasiynau. Yn iaith y gwyddonwyr,
fe lwyddodd y Cristion yn ei droedigaeth i
glymu egnïon neu ddyheadau'i natur
wrth ddelfryd teilwng a boddhaus. Y clymu
hwnnw yw llywodraeth y dyn arno'i
hunan, a rhoir iddo'n enw yr hunan
disgybledig. Term llai trwsgl fydd 'y
cymeriad'.[2] Pan fo'r cymeriad yn ymegnio

[1] Felly defnyddia Williams 'Satan' lle y dywed gwy-
ddonwyr heddiw 'y diymwybod'. Teg yw sylwi bod o
safbwynt gwyddoniaeth bur lawn cystal profion o fodolaeth
'Satan' ag y sydd o fodolaeth y 'diymwybod'. Damcaniaeth
yw'r ddau syniad, a thrwy ffydd yn unig y derbynnir hwynt.

[2] Ystyr wreiddiol *cymeriad* yw cymryd neu dderbyn.
Ffurfir yr hunan disgybledig drwy *gymryd* delfryd yn
nod bywyd. Felly addas ddigon yw'r gair 'cymeriad' fel
term technegol i ddisgrifio'r peth. Diau bod yr ystyr yma'n
ddieithr, a gall fod yn anodd i rai am amser, ond gwir hynny
am holl dermau gwyddoniaeth. Credaf, wedi yr arferir ag
ef, y bydd yn ddefnyddiol. Wrth gwrs, ceidw mewn siarad
ac mewn sgrifennu ei hen ystyron; yn unig rhoir iddo'r ystyr
neilltuol hon mewn eneideg.

tuag at ei ddelfryd—yng ngeiriau Paul,
yn estyn at y nod—gelwir yr egni hwnnw
yn ewyllys. Enw felly yw ewyllys ar y
cymeriad yn gweithredu. Ond, oni pher-
ffeithier dyn yn gwbl, bydd ganddo chwan-
tau na lwyddodd ef ddim i'w dwyn dan
lywodraeth y cymeriad, na'u clymu wrth
ei ddelfryd. Cais yntau eu dinistrio, ac
yna, am nas medr, eu hanghofio; canys yn
dra aml moddion i gael gwared ar bethau
diflas yw anghofio. Felly fe wthir y
chwantau hyn o'r ymwybod i'r diymwybod,
canys hynny a ddigwydd mewn anghofio.
Galwaf y chwantau hyn a gedwir allan o'r
ymwybod yn 'atalnwydau.'[1] Ond weithiau
yn annisgwyl ac yn flin, cyffroir yr atal-
nwydau hyn neu ryw un ohonynt, a fflachio
i'r ymwybod â nerth ac â sydynrwydd, a
dyna yw temtasiwn—"temtasiwn danllyd
a ddaeth fel *hurrican* o gyffiniau uffern,"
medd Williams; gellir gweld yn awr mor

[1] Atalnwyd = (S.) *Complex.* "Modern psychology, on
its pathological side, has been interested in other cases of
apparent irruptions into consciousness of material which
seems to have no continuity with what has previously been
in the mind, and therefore appears to come into the mind
from outside. These are commonly explained as due to
the influence on consciousness of instincts or of sentiments
which have been repressed from the conscious mind, and
have become unconscious. These unconscious mental dis-
positions are now commonly called *complexes.*" Thouless,
Introduction to the Psychology of Religion, p. 188. Gwelir
felly weddusrwydd yr enw atalnwyd. Yn aml fe ddefnyddia
Williams y gair *nwyd* ei hun yn gyfystyr a *complex*, ond nid
yw'n ddigon pendant fel term gwyddonol, heb ychwanegu
mai nwyd ataliedig ydyw. Defnyddiaf 'nwyd' i olygu
'*impulse*', gan mai felly y defnyddia Williams ef amlaf.

gymwys ac athrylithlon yw cymhariaeth
"y fellten yn taro i mewn i 'stafell yn peri
dychryn i bawb, ond nid yn y 'stafell yr
oedd y natur ohoni." Y stafell yw'r ymwy-
bod. Sonia Williams yn aml yn ei farddon-
iaeth am rym y nwydau pan ddelont i'r
ymwybod wedi dianc rhag yr ateiliad.[1]
Deallodd yntau, mor bendant â neb o'r
gwyddonwyr, aneffeithioled yw'r ewyllys i
ddifodi'r rhain na'u rhwystro rhag eu
mynegi eu hunain. Ymddangosant iddo
weithiau fel 'ewyllys arall', a chyn gryfed
â phe baent yn ei gymeriad:—

"Fy ewyllys i yw mynd ymhell,"

a thrachefn:—

"Mi dueddais gant o weithiau
O ochr fy ngelynion cas,
Gwell oedd genni' golli'r frwydr
Nag oedd genni' gario'r maes;
O fy anfodd
De'st a'm beiau tan fy nhraed"[2]

Ceir sylwi eto ar le'r emyn hwn yn
nhwf ei feddwl. Craffwn yma'n unig ar

[1] Ateiliad = (S.) *Censor*, term a ddefnyddir yn helaeth
gan Freud a'i ysgol.

[2] Yn argraffiad 1811 o'r hymnau ceir hefyd :—
"Mi wrth'nebais bur ragluniaeth
Oedd yn dodi 'm traed yn rhydd ;
Gwell oedd genni' gadw 'mhechod,
Pa mor felus bara cudd ;
O fy anfodd, etc."
Y mae'r pennill hwn hefyd yn dra gwerthfawr gan mor
dreiddgar a chywir ydyw, yn arbennig y bedwaredd linell.

gywirdeb a threiddgarwch rhyfedd y disgrifiad eneidegol.

Ond yn *Nrws y Society Profiad* nid y temtasiynau hyn a gaiff y prif le. Yn wir ni ddylid, meddir, eu cyffesu yn y Seiat, a dengys Williams ei fawr ddoethineb meddygol yn ei oddefgarwch wrth eu trin:—" Ond am ryw gwympiadau disymwth, na bo gan gredadyn un meddwl blaenllaw am danynt, ond syrthio iddynt o nerth temtasiwn danllyd a ddaeth fel *hurrican* o gyffiniau uffern, neu fel llifeiriant diarwybod o [=oddiwrth] fynyddau cig a gwaed, ni ddylid taflu allan yn frwd y cyfryw rai." Yn ei ddiwinyddiaeth, ei syniadau athronyddol, derbyniai Williams Galfiniaeth yn llawn. Y mae ei eneideg, ffrwyth ei brofiad a'i feddwl ei hun, yn gwbl anghalfinaidd. Ni welodd ef erioed yr anghysondeb.

Problem y Seiat yw amhurdeb yn y cymeriad, y pechodau a ddaw "gyda grym ac awdurdod parhaus, ac yn glynu yn barhaus ar y serchiadau". Ni ddichon cyffes yn unig ddinoethi'r rhain, oblegid eu cymhlethu â'r cymeriad, a rhaid i'r dyn wrth gyfarwyddyd y tu allan iddo'i hun. Rhan o gelfyddyd stiward y Seiat yw 'holi, chwilio, a mynnu adnabod' y rhai hyn:—

" Pa beth fydd swydd y stiwardiaid hyn? Mi debygwn y dylai eu dawn fod yn helaeth iawn—eu profiad, eu doethineb, eu pwyll, a'u harafwch yn rhagori ar bawb arall o'r society; ac yn enwedig yn meddu llygaid clir i adnabod tymherau, nwydau, profedigaethau, a thueddiadau penaf pob oedran a graddau o aelodau'r gymdeithas. Mae'n gofyn iddynt, ar ol fy meddwl i, i gael ysbryd tad, brawd, mam, a mamaeth, i fod yn greulon wrth rai, a'u tynu fel tewynion allan o'r tân; ac yn dynerach wrth ereill."

Disgrifir wedyn gymwysterau'r stiward a'i beryglon. Ei beryglon mwyaf yw annhegwch ac ofni wynebau dynion a chyfeillgarwch, dangos rhai tlawd yn waeth nag ydynt a chuddio pechodau'r cefnog, derbyn anrhegion gan aelodau ac yna peidio â'u holi'n gywir. Fe â'r awdur cyn belled â dweud mai'r stiward dieithr na bo'n adnabod dim o amgylchiadau'r aelodau yw'r holwr goreu. Y mae'n amlwg drwy'r rhan hon o'r llyfr i Williams ei hun weld y Seiat erbyn 1771 yn dirywio, a dull y gyffes gyhoeddus yn ben-agored i lygriadau. Mewn llenyddiaeth Gymraeg rhoes pin athrylith inni ddau ddarlun o'r stiward, un yn ei berffeithrwydd, y Doctor Alethius yn *Theomemphus*, a'r llall wedi iddo syrthio'n 'flaenor' ond cyn colli ohono bob tebygrwydd i'r patrwm, a hwnnw yw Abel Huws, a ddarluniodd Daniel Owen yn *Rhys Lewis*. Gwelir oddiwrth a godwyd eisioes mai treiddgarwch eneidegol yw prif ddawn y stiward. Eglurir hyn yn llawnach :

" Gwir yw, dawn neillduol yw holi nad oes ond un o gant yn berchen arno; mae'r pethau canlynol ynddo: Yn gyntaf, gofyn cwestiynau ag fo yn perthyn i gyflwr yr hwn fyddo yn cael ei holi . . . deall cyflwr y dyn a holir wrth yr ychydig atebion a gafodd o'i enau. . . . mae holiedydd da yn canfod pa bechod sydd yn cadw yr hwn a holir yn ol oddiwrth Dduw; fe fedr y cyfryw chwilio allan walau tywyll lle mae Satan a phechod, cnawd a chwant y byd a'i eilunod yn llechu ynddynt, fel y medr pysgotwr i adnabod pa le y mae y pysgod, a'r gwaddotwr lwybrau y gwaddod, a'r ffowler leoedd y petris; felly medr holiedydd cyfarwydd i adnabod yr achosion o bob cwymp, adnabod dirgel ffyrdd temtasiynau y byd a'r cnawd, gwybod am holl droion natur, gwahaniaethu rhwng awelon gras ac awelon natur, gwir edifeirwch ac oriau o dristwch y byd hwn, neu ffits o felancoli. . . ."[1]

Gellir derbyn y darlun hwn o ddawn y stiward yn ddisgrifiad hapus o athrylith Williams ei hun. Wele ei faes llenyddol ef, sef 'dirgel ffyrdd temtasiynau y byd a'r cnawd a holl droion natur '. Ef oedd y Cymro cyntaf i fynd i'r maes disathr hwn, a ffrwyth ei ddarganfyddiadau yw ei weithiau. Oni buasai iddo gyfyngu ei ddiddordeb yn fwyaf i'w brofiadau'i hun, gellid disgwyl i'r llwybr a gymerth ei arwain

[1] Yn ei bwyslais ar bwysigrwydd stiward i'r enaid duwiol, y mae Williams yn debyg i'r cyfrinwyr Sbaenig, y Santes Teresa a'r Sant Ieuan y Groes. Gadawodd Ieuan y Groes bymtheg rheol i gyfarwyddwyr enaid, a dywedai:—" Nid i'r cyntaf a ddelo y perthyn cyfarwyddo enaid, canys y mae barnu'n gywir neu fethu mewn mater o fath hwn, yn bethau o'r pwysigrwydd mwyaf." Pourrat, *Spiritualité Chrétienne*, III, 278.

i sgrifennu drama neu nofel. Tybiodd
yntau hynny, canys yn ei ragymadrodd i
Theomemphus, geilw'r gân honno yn
'brydyddiaeth dramatig', ac mewn llyfr
rhyddiaith o'i eiddo, sef *Hanes Bywyd a
Marwolaeth Tri Wyr o Sodom a'r Aipht*
(1768) ceir yr ymgais gyntaf i greu nofel
mewn Cymraeg.[1] Canys disgrifiad o gym-
eriad neu o gymeriadau yw hanfod nofel,
a dyna a geir yn y *Tri Wyr o Sodom*. Am
y portread o Avaritius yn arbennig, oblegid
ei gymhlethdod a'r dull y dangosir un
pechod yn llywodraethu ar holl weith-
redoedd dyn ac ar ei amgylchiadau, ac
megis cancr yn gwthio'i wreiddiau i bob
cornel o'i fyd a'i gymdeithas nes llygru'r
cwbl, fe haedda'r darlun, er byrred yw,
ei gymharu â'r llun mawr a dynnodd
Molière o'r un gwrthrych yn ei ddrama
enwog *Y Cybydd.*

Ond i'r efrydydd o waith Pantycelyn
prif werth y llyfrau rhyddiaith yw eu bod
yn oleuni ar ei farddoniaeth, a hynny
oherwydd yr ymgais sydd ynddynt i roi
dosbarth gwyddonol a chwbl fanwl ar
gyflyrau profiad. Gwelsom hynny eisioes
ynglŷn â'r temtasiynau. Ceir enghraifft
arall yn y *Tri Wyr o Sodom*, lle y disgrifir
dull Fidelius o "ranu ei brofiadau

---

[1] Y mae ei waith arall, *Crocodil Afon yr Aipht*, hefyd yn
bwysig yn hanes y nofel. Effaith Bunyan sydd amlycaf ar
y ddau lyfr. Gweler hefyd dudalen 159.

tumewnol i bedwar math"—rhaniad a fydd
o gymorth sylweddol i astudio hymnau
diweddaraf Pantycelyn. A thrwy'r rhaniad
hwnnw y cysylltir *Tri Wyr o Sodom* â hanes
y stiward yn *Nrws y Society Profiad*. Canys
y trydydd math o brofiad a gafodd Fidelius
oedd "goleuni rhyfedd oedd efe yn ei
gael rai prydiau nid yn unig yn ei galon
ei hun, i'w hadnabod hi yn well, ond
hefyd yn yr ysgrythyrau, ac o galonnau
rhai eraill, i adnabod dyben ysbrydoedd
dynion, ac i'w chwilio hwynt yn well nag
y gallent eu chwilio hwynt eu hunain. . . .
Mi clywais ef yn cael cymaint goleuni i
ddweyd am ei gyflwr ei hun, ac i holi
ereill am eu cyflyrau, fel y credodd amryw
yn ddiamheuol fod cyflawnder o Dduw
gydag ef".

Dyma eto un o syniadau sylfaenol Panty-
celyn: bod cynnydd mewn duwioldeb yn
gynnydd yng ngallu dyn i ddadansoddi ei
brofiad ei hun ac yn gynnydd mewn
craffter eneideg. Fe'i gwelir hefyd yn
Nrws y Society Profiad ym mhlith y
cwestiynau y dylid eu gofyn i aelodau
addfed:—"Wrth holi eu hunain yn fanwl,
a ydynt yn cynyddu mewn gras ac yn
nês i'r nefoedd nag yr oeddent ar y cyntaf?
A ydynt yn chwilio eu dybenion yn mhob
dim a gymmeront mewn llaw." Daw'r un
syniad yn amlwg yn *Theomemphus*, a
theifl oleuni llachar ar unoliaeth bywyd a

gwaith Pantycelyn. Un amcan oedd ganddo mewn Seiat ac emyn, sef chwilio'i galon ei hun, darganfod ei chyfrinion, eu mynegi a'u meddiannu. Ymholiad[1] yw nod amgen y bywyd Cristnogol: *cette passion chrétienne de l'examen de conscience,* fel y dywed y nofelydd Cristnogol gan François Mauriac. Yn y ganrif ddiwethaf aeth Cymru i ofni ymholiad, i ofni'r gwir am natur dyn. Trowyd testunau llên yn haniaethol. Nid oes mwy sôn am gnawd a nwyd a rhyw. Dyna'r Biwritaniaeth yr ymosodwyd arni gan feirniaid ifainc ein hoes ni. Eithr nid Piwritan mo Williams. Nid ofnodd ef ddweud y gwir cyfan am gnawdolrwydd dyn. Ni ddychrynodd rhag unrhyw ddarganfyddiad. O mynn neb wybod pa fath un yw dyn, darllened lyfrau Pantycelyn.

---

[1] Ymholiad = (S.) *Introspection* yn ystyr fanwl y gair mewn eneideg.

III

FFORDD Y PURO: 1744–1762.

SEISNIG oedd pob addysg uwchraddol yng Nghymru'r ddeunawfed ganrif, yn academïau'r Ymneilltuwyr yn gystal ag yn yr ysgolion gramadegol. Addysg Seisnig a gafodd Williams Pantycelyn yn y Llwyn Llwyd. Saesneg oedd cyfrwng diwylliant iddo, a thrwy'r iaith honno y dysgodd Ladin a Groeg. Canys addysg ramadegol, hynny yw, clasurol, a gafodd. Y mae'n anodd gwybod pa nifer o lyfrau Cymraeg a ddarllenodd erioed. Y rhai hyn yn sicr: *Cannwyll y Cymry, Bardd Cwsc*,[1] *Drych y Prif Oesoedd*, cyfieithiadau Cymraeg o Bunyan ac o'r Beibl, llawer o lyfrau crefyddol ei ganrif a'r ganrif o'i blaen, carolau a baledau a phenillion telyn.

[1] Dengys y " Llythyr wedi ei ddychmygu o fyd yr ysbrydoedd at ei wraig a'i ferched " ar ddiwedd *Marwnad William Read* (Cynhafal I, 470) effeithiau eglur y *Bardd Cwsc*. Ond dengys hefyd y gwyddai Williams am y dull o sgrifennu llythyrau oddiwrth y meirw at y byw a fuasai'n boblogaidd yn Lloegr ym mlynyddoedd cyntaf y 18fed ganrif. Gweler *School of Welsh Augustans*, 34–35.

Gwyddai am gynghanedd, a meddai mewn un pennill:—

> " Caned y byd
> Ganiadau o gyd gynghanedd,"

ond y tebyg yw na ddarllenodd ef na barddoniaeth na rhyddiaith Gymraeg o'r cyfnodau cyn y Ficer Pritchard. Nid oedd ganddo felly ddiwylliant Cymreig, ac ni ddysgodd barch at draddodiadau'r iaith. Sgrifennai Gymraeg cywir ar brydiau, ond yn gwbl anwastad. Nid oedd yn feistr diogel ar Gymraeg llenyddol, ac anaml y ceir ganddo emyn nad oes ynddo wallau cystrawen.

Nid felly ei Saesneg. Sgrifennai Saesneg llenyddol ei oes, a dengys ei ganeuon yn yr iaith honno iddo'i drwytho'i hun ym marddoniaeth Loegr yn ei ganrif. Cymerer yn enghraifft y dernyn a ganlyn o'r *Elegy on the Rev. G. Whitfield:*—

> " Assist, O Muse! and let my soul repair
> From scenes of mourning and of sad despair,
> From dark retreats, where willing I have stray'd,
> Till dreadful woes have all my soul dismay'd,
> To real faith, and hope which shall allay
> My pensive grief, and turn my night to day."

Dengys aml frawddeg yma, megis *sad despair, pensive grief, dark retreats,* a berfau nodweddiadol y ddeunawfed ganrif, *assist, repair, allay,* fod eu hawdur yn hyddysg ym meirdd y cyfnod rhwng Milton a

Cowper. Bradycha pob llinell Saesneg a sgrifennodd ei ddiwylliant a'i oes. Cadarn-heir hynny gan ei gynghorion i emynwyr yn *Ffarwel Weledig*:—"Darllen yn Saesneg, os nad allant mewn ieithoedd ereill [ond nid yn Gymraeg, sylwer] bob llyfrau o brydyddiaeth addas a allont gyrhaedd, er mwyn helaethu eu deall i adnabod prydyddiaeth—pa le y mae ei thegwch hi yn gorphwys, at ba ddyben y mae, a'r amryw reolau sydd yn perthyn iddi." Dacw acen Seisnig ei ganrif yn y sôn am reolau, a daw brawddeg ar lyfrau bardd-onol y Beibl:—"y rhai sydd yn llawn o ehediadau prydyddiaeth, troell-ymad-roddion, amrywioldeb, esmwythder iaith, a chyffelybiaethau bywiog,"—i awgrymu ddarllen o'r awdur draethodau beirniadol John Dennis, a'i fod yn rhugl yn nhermau beirniadaeth Saesneg ei gyfnod. Yn ei lyfrgell yr oedd ganddo "gannoedd o ly-frau,"[1] yn eu plith "lyfrau Dr. Goodwin, Dr. Owen, Hervey, Usher, a'r hen ddiwyg-wyr enwog,"—Saesneg bron i gyd. Fel y disgwyliem gan un a ddarllenodd John Dennis, edmygai ac efelychai waith John Milton. Gwelir effaith hynny'n eglur ar *Olwg ar Deyrnas Crist* ac ar *Theomemphus;* ac yn 1762 cyhoeddodd Williams y gerdd ddi-odl gyntaf a brintiwyd mewn Cymraeg,

[1] Cynhafal I, 28–30: llythyr W. W. at Thomas Charles Ionawr 1, 1791.

"cân benrydd" y geilw ef hi. Wrth gwrs, nid mesur Seisnig yn arbennig yw'r mesur di-odl, a chydnebydd Milton ei hun ei ddyled i feirdd yr Eidal am y patrwm. Ond fe brawf rhagymadrodd Williams i'w gân mai o'r Saesneg ac oddiwrth Milton y benthyciodd:—"Am y Gân Benrydd, yr hon a eilw y Saeson yn *blank verse*, mae hi yn rhoi cenad i'r prydydd arferyd ei holl ddoniau, ei ddychymygion, ei droell-ymadroddion, ei ehediadau . . .lle mae cymaint o gaethiwed gyda'r llall trwy amryw glymu geiriau o'r un swn, a hyn mewn iaith nad oes fawr iawn i gael ynddi o eiriau ; ac sydd yn peri fod y bardd yn rhwym draed a dwylaw." A ddarllenodd ragair Milton i *Paradise Lost*, lle y sonnir am *vexation, hindrance and restraint* odlau, fe wêl o ble y cymerth Pantycelyn ei syniad. Ond y peth pwysig yng nghân ddiodl Williams yw rhwyddineb ei chelfyddyd. Lle y bu beirdd ei oes ac ar ôl ei oes, a geisiai ganu ar y mesur hwn, yn drwsgl ac yn fethiant, oblegid ei annhebyced i hen arfer barddoniaeth Gymraeg, y mae ef yn feistr esmwyth :—

" Caf yno weld Ouranus, nefol ddyn,
　Fu'n rhodio'n hir trwy'r dyrys anial maith,
　Yn cael ei ladd trwy gydol faith y dydd,
　Ac yn dyoddef oll, heb rwgnach dim,
　Yn wirion fel yr oen, heb roddi dant
　Am ddant i neb ; ond achwyn arno ei hun ;

Na blino dim am groesau'r byd a'i wae,
Ond edrych ar y goron, draw i'r bedd,
A llawenhau yn fynych wrtho ei hun
Wrth weld ei olaf ddydd yn agoshau."

Gan unrhyw fardd oddieithr Williams byddai'r paragraff hwn yn y ddeunawfed ganrif yn wyrth anhygoel o gelfyddyd. Iddo ef yr oedd yn hawdd, a dyna'r praw terfynol mai Seisnig oedd ei ddiwylliant. Canys aeth miwsig a rhythmau canu Saesneg mor gynefin iddo ag y gallai eu trosglwy-ddo'n ddidramgwydd i Gymraeg. Sylwer hefyd, ac yntau'n canu ar fesur Milton a than ei effaith, fod ei iaith yn gywirach nag arfer ac yn burach. Clywir dywedyd yn aml i Bantycelyn ymryddhau o lyff-etheiriau'r gynghanedd ar farddoniaeth Gymraeg. Ni all neb ymryddhau oni bo'n gyntaf yn gaeth, ac ni wybu Williams nemor ddim am swyn mesurau cerdd dafod. Ac eto, ac wedi'r cwbl, mewn Cymraeg, er mor anwastad, y mae ef yn fardd. Cyfan-soddodd ganeuon Saesneg lawer, ond er eu cywired ni chlywir mo'i enw gan haneswyr llên Loegr. Onid oes yn hynny awgrym na fedr addysg mewn iaith heb etifeddiaeth ynddi fawr ddim i godi bardd?

Efallai mai'r ffaith mai Seisnig fuasai addysg Williams a gyfrifai am mor araf y datblygodd ei gelfyddyd Gymraeg. Dech-reuwyd cyhoeddi ei hymnau cyntaf yn 1744, a chasglwyd y rhannau yn un llyfr

buin mlynedd wedyn. Ond yn *Aleluia* 1749
ni cheir mwy nag addewid o'i ddull addfed.
Mewn llinell fel hon rhydd awgrym o'i allu
i ddewis yr ansoddair iawn:—

" Ei hyfryd wen a'i gusan gwâr,"

ac ym meiddgarwch ambell drosiad, gellir
adnabod dechrau ei briod ddawn:

" Pa le mae'r Iesu, 'r hwn a fu
  Yn meddwi 'gleddyf â'ch gwaed chwi?'

Dengys y newid rhythm hefyd yn y
drydedd linell o'r pennill a ganlyn, a'r
dull y rhoir un gair i lenwi ban, fod yma
fardd a ddeallai gelfyddyd y mesurau
rhyddion yn well na neb Cymro arall,
oddieithr Ann Griffiths, am ganrif a mwy ar
ei ôl:—

" Gwasgara weddill pechod câs;
  Sêl fi â'th ras yn drigfan
  Berffaith, | hardd, | yn demel wiw,
  Adeilad Duw ei hunan."

Nid mympwy yw'r newid rhythm yma.
Ei effaith yw arafu'r rhediad, er mwyn
dangos y gwahaniaeth rhwng y llinell
lonydd, ddisgrifiadol hon, a'r cwpled o'i
blaen lle y ceir gweithgarwch a berfau. Ac
eto yn y pennill hwn:—

" Byth cofiaf mwy y lle a'r man
  Dylifod gwin i'm henaid gwan
  Yn ffrwd ddidrai o'r nefoedd draw
  Nes gwella'm briw a dofi'm braw,"

—yn y dull y clymir y syniad a'r ffrâm mewn unoliaeth, fel y gellir credu mai'r meddwl a benderfynodd y ffurf, ac nid y ffurf a estynnodd y meddwl i'w llenwi, ceir trem ar arddull y meistr sydd i fod. Ac ym mhob un o'r llinellau hyn y mae olion celfyddyd y penillion telyn, sef cynganeddu'r geiriau y gorffwys y llais arnynt: mwy-man, gwin-gwan, drai-draw, briw-braw.

Ond addewid, nid cyflawni, sydd yn *Aleluia* 1749. Prin ynddo yw'r penillion a ddywed ddim fel nas dywedir ddwywaith, a phrinnach yw'r emyn cyfan campus. Ni cheir ynddo fesurau hoffaf Pantycelyn ac ni ffurfiwyd mo'i arddull eto. Rhaid cydnabod hefyd nid yn unig ei fethiannau, ond ei feiau yn erbyn gweddusrwydd, beiau a barhaodd drwy holl waith y bardd ond sy'n noethaf yn y llyfr hwn. Ceir rhagflas o ddiffygion *Golwg ar Deyrnas Crist* yn y llinell daeogaidd:—

"Mae genom dwrnai gyda Duw."

ac o sentimentaleiddiwch Williams, ei fynych sôn am ei enaid bach a'i galon fach a'i dosturi afiach-ferchetaidd wrtho'i hun, ym mysg enghreifftiau lawer dyma un o'r gwrthunaf:—

"Pam ceraist fi, d'wed, un o fil,
O ganol hil llygredig,

Wrth natur f'aeth fy ngwell heb lai
  I blith y rhai damnedig.
O safan drist Gehenna gaeth
  Fy ngwared wnaeth yr Arglwydd;
Fy enaid bach am hyn bob tro
  Gaiff lamu o lawenydd."

Ni raid sôn mwy am y diflastod hwn. Diau y gellid dethol swrn o benillion gan Williams a friwiai galon ac a dramgwyddai chwaeth pob llednais a bonheddig. Ni ddylid cuddio hynny na'i wadu. Ond bellach gellir mynd heibio iddo, oblegid mewn cymaint corff o farddoniaeth y mae'r pethau mawrfrydig yn ddigon amlach.

Y syniad sylfaenol yn *Aleluia,* y syniad a lywodraethodd ar feddwl Williams ar hyd blynyddoedd cyntaf ei ganu, gan uno holl waith y cyfnod dan un ffigur, a throi casgliad o emynau yn gyfanwaith, yw'r syniad am fywyd y Cristion yn bererindod drwy anialwch y byd o gaethiwed i gartref. Afraid dywedyd nad John Bunyan a greodd y symbol hwn o fywyd crefyddol; ond ei waith ef, a *Thaith y Pererin* yn anad dim, a'i stampiodd ar ddychymyg Cymru ac ar fyfyrdod Williams. Yn nhermau Bunyan y meddyliai'r bardd drwy'r cyfnod ar ôl ei droedigaeth, ac ynddynt y darluniai ei brofiad:—

    " Pererin wyf, fy Nuw,
      Sy'n mynd trwy nerth dy ras
    I Salem bur i fyw
      O Ddinas Distryw 'maes."

Dyna fater holl emynau *Aleluia*. Ychydig
sydd o hymnau yn y llyfr heb gynnwys y
ffigur o daith. Teithio, rhodio, mynd, nofio,
dyfod, landio, ymadael, dyna'r berfau a
geir mewn emyn ar ôl emyn, a'r ansodd-
eiriau cymwys i bererin, megis lluddedig,
blin, llaith, gwael, ofnus, hiraethus. Y
nefoedd yw nod y pererin saith ar hugain
oed hwn, y nefoedd y profodd ef unwaith ei
flas ar y ddaear:—

> " Er mynd yn awr tan gwmwl du,
> Yn ffaelu gweld fy nghartre fry,
> Cof genni'r pryd, y man, a'r lle
> Ce's eglur olwg draw i dre.
>
> Er bod yn awr a'm henaid cu
> Fel un ar daith mewn Gaia du,
> Mi welais Haf a melys hin,
> 'N lle gofid gwae ce's yfed gwin."

A byth er profi hynny:—

> " Ymdeithydd wi'n y byd
>   Fel rhai o'm tadau gynt,
>   Sy'n morio lawer pryd
>   Yn erbyn glaw a gwynt:
> Mae ngolwg wiw tua'r hyfryd wlad
> Lle mae fy Nhad a'm ffrinds yn byw.
>
>   Pan byddo hi yn awyr glir,
>   Rwi'n gweld trwy ddrych di-frêg
>   Rai mannau o Salem dir
>   A'm hetifeddiaeth deg;
> A'r olwg hon trwy gwrs fy nhaith
> Ddoed f'enaid llaith i fynd yn llon."

Ystyr hyn oll mewn rhyddiaith yw iddo
unwaith, yn ei droedigaeth, brofi'r fath hedd-
wch ag a'i diddyfnodd oddiwrth bleserau
cyffredin a throi ei fywyd yn ymgais i aden-
nill a chadw'r profiad cyntaf. Wedi gyrfa
o buredigaeth ac ymgyflwyniad i'r delfryd
a'i cynhyrfodd credai y deuai'r heddwch
hwnnw'n eiddo gwastadol iddo y tu draw i
angau, a dyna a fyddai ei 'Nefoedd'. Yn
y bywyd hwn ei unig gysur oedd cofio'r
rhagflas cyntaf, oddieithr weithiau—"Pan
byddo hi yn awyr glir"—fe gâi eto fyrbrofi'r
un heddwch, a'r byr brofiadau hynny a'i
nerthai drwy aeaf ei oes. A'r profiad hwn
o droedigaeth sy'n esbonio tymer *Aleluia*.
Ymddengys i hyder a sicrwydd yr emynau
beri tramgwydd i rai darllenwyr, canys
dywed Williams ei hun amdanynt yn
1764:—"Mae llawer o'r rhai cyntaf yn
ffaelu cael eu canu gan rai oherwydd y
llawn sicrwydd ffydd sydd ynddynt am
fywyd tragwyddol." Nid arwydd addfed-
rwydd yw'r sicrwydd hwn. Un o nod-
weddion amlycaf troedigaethau llanc yw'r
duedd i ddisgrifio profiadau cynnar mewn
termau a fyddai'n gymhwysach i radd
uchel o santeiddrwydd. Hynny sy'n aml
yn hymnau cyntaf Pantycelyn:—

" Mae rhai'n fy nghymryd fel rhyw sant."

Ond o gymharu *Aleluia* â *Ffarwel Weledig*,
hawdd yw canfod yn y llyfr diweddarach

ddyfnder cynnwys a phrofiad y mae'r
casgliad bore yn gwbl amddifad ohono.
Sicrwydd di-gynnwys *Aleluia* a'i anadd-
fedrwydd yw'r achos bod ei fiwsig yn
denau, ei rythmau a'i arddull yn llwm,
a'r effaith ar a'i darlleno dipyn yn arw.

Yn y blynyddoedd 1749–1756 fe ymroes
Williams i gywiro'r diffyg hwn ar ei waith
bore. Y canlyniad oedd gasgliad newydd
o hymnau, *Hosanna i Fab Dafydd* a chân
faith *Golwg ar Deyrnas Crist.* Cyhoeddwyd
yr hymnau yn rhannau rhwng 1751 a 1754,
ac yn 1758 gwnaethpwyd un llyfr ohonynt
hwy a'r *Aleluia* cyntaf, a rhoddwyd *Aleluia*
yn deitl ar y cyfan. Ond perthyn *Hosanna
i Fab Dafydd* yn llawn agosach i'r *Golwg
ar Deyrnas Crist* (1756) nag i'r hymnau
cyntaf. Yn wir, fe'n trewir gan y gwahan-
iaeth rhwng y ddau gasgliad emynau.
Ni cheir yn yr ail gyfanrwydd y cyntaf,
ond y mae'n gyfoethocach. Erys o hyd
y darlun o fywyd yn daith—fe erys drwy'r
cwbl o farddoniaeth Pantycelyn—ond nid
yw mor undonog ag o'r blaen. Gwahan-
iaeth pwysig yw bod yr hymnau newydd
yn fwy gwrthrychol na'r hen. Dechreua'r
bardd fynd allan ohono'i hun a disgrifio
Crist, gwrthych ei brofiadau, yn hytrach
na disgrifio effaith y gwrthrych arno'i
hunan. Hyd yn oed pan ddarlunio ei
deimladau'n unig, gwelir bod cylch ei

brofiad yn ehangu, a'i ymwybod yn ymestyn
i gynnwys yr holl greadigaeth a'i lliwio
â'i feddwl ei hun:—

" Y mae'r haul-wen wedi blino
  Teithio yn yr wybr las;
Daear drom yn mron diffygio
  Borthi'r llysiau sy'n y maes;
Mae'r planedau'n gwaeddu, diwedd;
  Pob creadur yn ei ryw
Yn och'neidio am gael gweled
  Gwir ddatguddiad meibion Duw."

Williams ei hun yn ddiau yw'r haul a'r
planedau hyn. Ei brofiad ef sydd yma.
Ond y mae'n brofiad llawnach nag a
gafwyd ganddo gynt, a sylwer iddo gymryd
gafael yma ar un o'i fesurau mawr, a bod
nodweddion ei briod arddull yn eglur yn
y pennill hwn.

Arwydd yw'r datblygiad hwn yn ei
arddull o'r prifio a fu yn ei brofiad. Perygl
Williams yn yr amser y cyfansoddai *Aleluia*
oedd pwyso ar atgof ei droedigaeth:—

" Cof genni'r pryd, y man a'r lle."

Ond nid digon hynny. Un o'r cwestiynau
a ofynnid i hen aelodau'r gymdeithas yn
Nrws y Society Profiad oedd:—" Pan bo
tymhestloedd mawrion o annghrediniaeth yn
curo arnynt, i ba le maent yn myned--ai
at yr hen dystiolaeth hon, neu at Grist
ei hunan i ymofyn am oleuni a thystiolaeth
newydd?" Ac yn hanes Theomemphus fe

eglurir mai achos ei gwymp yntau ar ôl ei droedigaeth oedd iddo bwyso ar a gafodd:—

" Os pwysi ar a gefaist, ti gefaist ddigon mawr,
  I gludo pob rhyw ofnau a'th flinodd gynt i lawr."

Diamau bod yma fynegiant o helbul y bardd, a daw'r elfen wrthrychol yn *Hosanna i Fab Dafydd*, y mynd allan ohono'i hun tuag at wrthrych ei brofiad, i gywiro'r mewnblygiad,[1] y troi i mewn o'i gwmpas ei hunan, y tueddai ato gynt.

Er mwyn cywiro'r un gwendid yr ymroes ef yn chwantus y blynyddoedd hyn i ddarllen ac astudio. Dysgodd hanes crefyddau a diwinyddiaeth, a darllenodd yn eang mewn gwyddoniaeth ac amryw wybodau. Yr oedd ganddo flys athrylith am gyfoethogi ei feddwl, gan ddeall bod llawnder gwybodaeth yn dyfnhau pob profiad, hyd yn oed brofiad synhwyrus. "Astudiodd gymaint" medd Thomas Charles, "fel yr effeithiodd yn niweidiol ar ei iechyd tra y bu byw." Ar un olwg fe ymddengys ffrwyth y dyfalwch hwn, sef *Golwg ar Deyrnas Crist* a *Pantheologia*,[2] yn ddigystlwn

---

[1] Dau air defnyddiol mewn eneideg yw *introversion* ac *extroversion*. Troi'r meddwl i mewn at ei gynnwys ei hun yw ystyr y cyntaf, a'i droi allan at wrthrychau a'r byd y tu allan yw ystyr yr ail. Defnyddir mewnblygiad = *introversion*; allblygiad = *extroversion*; a'r ansoddeiriau mewnblyg, allblyg, megis ' meddwl mewnblyg '.

[2] Dechreuwyd cyhoeddi *Pantheologia* yn 1762, ond diogel yw barnu mai yn yr un cyfnod ag y cyfansoddwyd G.D.C. y casglwyd defnyddiau *Pantheologia* hefyd.

ym mysg gweithiau'r awdur. Ynddynt fe ymadawodd â'i faes arbennig mewn llên ac ymroi i destunau dieithr. Ond o'u hystyried yn well, y mae iddynt eu lle yn ei hanes. Hwy yw arwyddion ei feirniadaeth arno'i hun a'i ymddisgyblu, a bydd ei ganu diweddarach yn addfetach oblegid iddo geisio canu epig *Golwg ar Deyrnas Crist,*—a methu ganddo.

Prin y bu mawreddocach cais yn hanes llenyddiaeth. Nid yw cynllun Dante yn y *Divina Commedia* yn ehangach, na bwriad Milton yn *Paradise Lost,*—"*To justify the ways of God to men*"—yn fwy urddasol. Hanes y Duwdod drwy'r unig gyfnod a'r holl gyfnod y bu hanes iddo, o'r pryd yr arfaethodd y cread ac y mynegodd ei hun i ddynion ac angylion, a thrwy angylion a dynion, a thrwy ei waith a'i ymgnawdoli, hyd at y pryd y cyflawner yr arfaeth oll, a chyflwyno'r cwbl yn ôl i'r Bwriedydd, a diweddu hanes,—dyna destun *Golwg ar Deyrnas Crist.* Teitl y bennod gyntaf yw 'y Deyrnas yn cael ei rhoddi i Grist', a theitl yr olaf 'Crist yn rhoddi y Deyrnas i'r Tad', dechrau yn nhragwyddoldeb a dychwelyd yno. *Summa Theologica* ar gân. A meddwl synthetig ac athronyddol megis meddwl Sant Thomas neu feddwl Dante a fyddai'n ddigonol i'r fath gynllun, meddwl a feithrinwyd ar resymeg ac ar gyfundrefn ddisigl, draddodiadol o ddiwinyddiaeth.

Deallodd Williams yr angen am hynny, ac atgof am lafur y cyfnod hwn a'i cymhellodd efallai ar ddiwedd ei oes i annog ar ei olynwyr sylfaenu eu proffes ar 'Erthyglau Eglwys Loegr a'r Credo, sef Credo'r Apostol-ion, Nicea, ac Athanasius'.[1] Wrth iddo gyfansoddi ei epig dysgodd o leiaf werth sylfeini diysgog y gredoau cyson a phendant. Ond nid athronyddol na synthetig oedd athrylith y bardd, ac nid ym mysg syniadau haniaethol na chyfundrefnau rheswm yr ymhyfrydai ei awen.

Dau beth arall y byddai raid wrthynt mewn rhaglen mor gynhwysfawr, a dwy elfen amlwg ym mhob epig campus, yw cysondeb, a gwastadrwydd cyfansoddiad. Y mae cynllunio cân mor fawr, trefnu ei phrif fannau, penderfynu ei ffurf a pherthynas pob pennod â'i gilydd, y cwbl yn rhan anhepgor o'r meddwl barddonol, yn rhan o'r creu a'r gelfyddyd. Amhosibl i'r dam-weiniol fod yn gelfyddyd, gan fod y gair 'celfyddyd' yn golygu peth a ffurfiwyd neu a dorrwyd allan. Am hynny, y mae cân faith yn gofyn cyfansoddi cadarn, a rhwymo'r rhannau mewn undeb ffurf, a dethol o gyfoeth y defnyddiau yr ychydig hynny a fo'n bwysicaf. Mewn gair, gofyn am allu beirniadol o radd uchel.

Ond yn y rhinweddau hyn, sef meddwl athronyddol a chyfundrefnol, cysondeb, a

1 Llythyr at T. Charles, Ionawr 1, 1791 (Cynhafal I, 28-30).

gallu beirniadol, yr oedd Williams yn wallus. A chanlyniad cyntaf hynny yw nad un cyfansoddiad yw *Golwg ar Deyrnas Crist*, ond casgliad o ganeuon. Cysylltir y rhain a'i gilydd drwy eu bod oll yn emynnau mawl i Grist am ryw ran o'i waith, ond nid oes yma o gwbl 'Olwg' neu ddatguddiad cyfan. Awgryma'r enw 'Teyrnas' undeb hanfodol pob rhan â'i gilydd dan lywodraeth teyrn neu berson, eithr methodd gan y bardd ddadlennu natur anorfod, angenrheidiol y berthynas hon. Ac felly, oblegid nad oes unoliaeth yn hanfod ei gân, rhaid iddo geisio am unoliaeth yng nghôf y darllenydd :—

"Canasom am yr arfaeth a Chwnsel tri yn un,
Am greu nef a daiar, angylion pur a dyn,
Ac am greadigaeth ehang, y Bydoedd oll o ddim,
Doethineb a Daioni'r Creawdwr mawr ei rym ;
Canasom am y Moroedd, y Ddaiar drom a'r tân,
Yr Awyr deneu lydan a'r Hediaid mawr a mân. . .
Duw nerth im eto ganu . . ."

Onid yw'r atgofio hwn am gynnwys y rhannau blaenorol yn gyfaddefiad o natur achlysurol ei ganu? Nid fel hyn y cysylltir rhannau â'i gilydd mewn cyfanwaith na chyfundrefn. A phan ddelom at y bedwaredd bennod, a chael teitl 'Crist yn bob peth yn y Beibl' a'r llinell :—

"Duw, nerth i ganu 'mhellach am dan dy lyfr mawr,"

gwelwn ar unwaith fod yma derfyn ar bob
datblygiad cyson yn neunydd y gân, ac
o'r bennod hon ymlaen ni cheir ymdrech
at ganu gwrthychol, synthetig, ond troi'n
fwyfwy personol a thelynegol:—

> " Gweld wyneb fy Anwylyd wna i'm henaid
> lawenhau."

Deallwn yn awr mai dedfryd rhagair y
bardd ei hun sy'n gyfiawn:—" 'Roeddwn yn
meddwl i'w brintio yn llawer llai, ond
cynyddu a wnaeth i hyn o faintioli o ran
fy mod yn gweld rhywbeth yn y blaen ar
y testun, ac yn cwrdd â llyfrau a fyddai'n
traethu ar y pwngc mewn llaw." Hynny
yw, damwain neu ddamweiniau ac nid
celfyddyd a bennodd y ffurf.

Rhaid cydnabod hefyd ddiffyg gallu
beirniadol y gân. Hynny'n unig a all
esgusodi'r disgrifiad erchyll hwn o arfaeth
Dduw:—

> " Yn cynnwys myrdd o bethau ordeiniwyd idd' iw
>   fod,
> Mil eilwaith a ddioddefwyd, rhai o rai gwaetha'
>   erioed;
> Gogoniant Ior ni all'sid ei amlygu i uchel radd
> Fyth mwy na chlôd 'Merawdwyr heb gwympo
>   rhai a'u lladd."

A theilwng yw'r llinellau a ganlyn o'r
bardd a ganodd am ' Dwrnai gyda Duw':—

> " Mor gynted daeth y meddwl i galon bur y Tad,
> Mor barod oedd fy Iesu i golli 'werthfawr waed!

*Can's yntau, pe nacausai, neu wrthddadleusai'r
peth,*
Ein iechydwriaeth rasol a aethai 'n lân **ar** feth."

Yr un diffyg sy'n peri nad oes i'r gerdd un-
oliaeth ysbryd na thymer. Ac er engh-
raifft, rhan effeithiol a llwyddiannus ohoni,
un o gampau anghyffredin Pantycelyn
yw'r disgrifiad o'r cread yn yr ail bennod.
Yn honno fe gymerth ddarganfyddiadau
seryddwyr a'u troi'n ddeunydd barddon-
iaeth :—

" Ond er y meithder enbyd sy i gael ynghroth y
Ne',
Ehangder heb ddim diwedd, lle heb ddiweddu lle,
Llu heb eu rhifo o fydoedd yn troi o gylch heb
ball,
Yn cadw yn eu troion heb un yn cwrdd y
llall. . . .

Rho waedd trwy droion Sadwrn, d'wed wrth yr
Haeddel Fawr,
Pan fry ar furiau Dehau, am edrych tua'r llawr,
A meddwl mai'r hwn anwyd, fu farw ar y pren,
A'i rhoddodd yn eu troion i gerdded yn y nen."

Ond yr un bardd ag a welodd ardderchog-
rwydd meddylddrychau gwyddoniaeth
a'u troi'n farddoniaeth fel yna, a rifodd
hefyd ym mysg creaduriaid Duw :

" Y dolphyn cymwynasgar caruaidd iawn i ddyn,
Y crocodil a'r afanc 'nghyd a'r forwynfôr dal,"

A dyna ni ym myd ffansi a chwedl lle nid
oes ran i wyddoniaeth. Hawdd deall mwy-
ach sut y gallai'r gân gynnwys mewn

un rhan ddisgrifiad gwyddonol o'r cosmos ac mewn rhan arall ddisgrifiad mor blen-tynnaidd o arfaeth Dduw ag a geir yn y bennod gyntaf. Y gwir yw na bu erioed fardd o ddawn a chanddo lai o athroniaeth na llai o allu beirniadol na Phantycelyn.

Yn hir cyn gorffen y gân rhoes yr awdur heibio bob ymgais at gadw unoliaeth mewn na ffurf na thymer, a thua'r diwedd troes hi'n gyfle i ganu am ei brofiadau a'i obeith-ion ei hun. Hyd yn oed felly, nid oes ran o *Olwg ar Deyrnas Crist* na cheir ynddi linellau neu benillion o farddoniaeth ddi-ledryw. Gan mor eang yw testun y gerdd rhydd gyfle i'r bardd ddangos ystwythed ei ddawn a helaethed ei gywreinrwydd. Gall dynnu darlun a rhoi mawredd mewn llinell megis yn ei gymhariaeth o'r ddaear:

> " Fel palas hardd, di-eisieu i wir roesawu dyn,"

neu roi inni un o olygfeydd Cymru â phwyntil ysgafn:

> " Ffynhonnau fel yr arian toddedig gloyw las
> O'r bryniau wnaeth e' i darddu i ddisychedu'r
> maes,
> *I faethu'r mân afonydd sy'n rhedeg 'rhyd y gwair.*'"

Y mae'n gampus mewn ffigurau rhetoregol megis o'r glawogydd:

> " Ar ysgwydd gref y gwyntoedd yn eistedd yn y
> nen,"

a cheir ganddo aml fflach o ddychymyg

treiddiol yn cydio ynghyd bethau a ym-
ddengys yn bell oddiwrth ei gilydd:

> " Ymlusgiaid, o dyrchefwch soniarus gân o'r
> trwch,
> Bu Iesu dri diwrnod yn gorwedd yn y llwch."

Ond dyn sy'n fwyaf diddorol gan Williams
o ddim. Ni flina ar synnu ar ryfeddod
corff dyn; a gwelir yn aml yn ei waith
olion ei efrydiau meddygol:

> " Rhoi gwaed yn ei wythiennau tros ugain bwysi
> mawr
> Trwy ei galon amryw weithiau yn tramwy yn
> yr awr.
> A rhoi'r fath dorf amrywiol o fuscles mân yng-
> hyd,
> Eu nifer a'u cydsynied o ryfedd waith i gyd,
> Yn ateb pob ymddygiad a phob ysgogiad mân
> Mewn moment heb gael rhybudd o hono fe
> o'r blaen. . . .
> Gynifer nerf a gewin, gwythïen, arteri,
> Yn deall am eu lleoedd yn ddistaw yn y bru;
> Cynifer asgwrn bychan yn eistedd yn ei le,
> Heb un gorchymyn arall ond o'i ewyllys e'. . . ."

Dyma'n ddiau weledigaeth drwyadl far-
ddonol ac annibynnol, ac esiampl o'r modd
y gall gwyddoniaeth faethu'r dychymyg.
Un o'r gwersi gwerthfawr i feirdd heddiw
yng *Ngolwg ar Deyrnas Crist,* ac un peth
modern tros ben yn athrylith Pantycelyn,
yw ei ddiddordeb diderfyn mewn gwyddon-
iaeth. Yn hynny y mae'n rhagflaenu
Goethe a holl dueddiadau barddoniaeth ar
gyfandir Ewrop heddiw. Ac ym mhenodau

olaf y gân fe ddychwel Williams i'w faes priodol ei hun:—

" Ond bellach canaf, Arglwydd, am dy deyrnwialen aur
Sy'n llywodraethu y rheini a gredodd yn dy air,
Y Deyrnas yn y Galon . . ."

Ceir yn y rhannau, 'Crist yn teyrnasu o fewn i'w bobl, ac yn dysgu ei ddeiliaid' fath o ragolwg ar destun *Theomemphus*, ond gan edrych arno'n hytrach o safbwynt allanol. Y mae'r penodau hyn yn anhepgor i lawn ddeall meddwl y bardd. Ar y creadur, y goddefydd, y mae'r pwyslais yn *Theomemphus*. Helynt enaid dyn a ddadlennir yno. Dengys y rhannau hyn o *Olwg ar Deyrnas Crist* fod Williams yn gweld Odyseia Theomemphus fel rhan hefyd o gynllun Duw, rhywbeth a chyswllt agos rhyngddo a holl lafur y cread:—

" Trwy eitha grym a dyfais rhaid ennill calon dyn."

A holl ymchwil y saint, eu poenau a'u siomedigaethau, un amcan sydd i'r cwbl:—

" At buro ei eiddo ei hunan mae'n dyfod oll bob darn."

A'r puro hwn a ddatguddia i'r enaid bosibilrwydd ei natur ac a'i dyd ar ffordd ddisathr y serch dwyfol:—

" I hynny y'm ganwyd innau, sef i'r llawenydd fry,
'Rwyn' gapabl o wleddoedd sy gan angylaidd lu."

Ac ar y meddwl hwnnw y terfyna'r gerdd,
—y gall yr enaid ymestyn at lawenydd a
gwleddoedd goruwchnaturiol. Try *Golwg
ar Deyrnas Crist* yn olwg ar bosibilrwydd
enaid dyn, syniad nodweddiadol o Banty-
celyn.

Dyna derfyn ar gyfnod ei brentisiaeth.
Yn yr ymdrech â'i epig fe enillodd feistrol-
aeth lwyr ar ei awen. Ei lyfr nesaf o
farddoniaeth Gymraeg oedd *Caniadau y
rhai sydd ar y Môr o Wydr*, casgliad o
hymnau a gyhoeddwyd yn 1762. Yn
hwnnw cyrhaeddodd ei arddull ei chyf-
lawnder, a cheir ynddo ei fesurau nod-
weddiadol, y mesurau mawr chwe llinell ac
wyth linell a fu'n offeryn ei gyffesiadau
dwysaf. Ceir ganddo hefyd afael gryfach
na chynt ar y mesurau byrion a grym
a llawnder yn ei benillion, ac amrywiaeth
mydr ac arddull. Dyma flaenffrwyth ei
addfedrwydd, ac nid hwyrach y llyfr
hoffusaf a gyfansoddodd erioed. Y mae
ei ddynoliaeth yn gron ac yn ystwyth
yn hwn, wedi ymryddhau oddiwrth ang-
erdd cras llencyndod a heb eto ei
hysu gan angerdd y cyfrinydd. Edrych
yn ôl ar hyder ei ganu cyntaf a chyf-
eddyf :—

" Cyn ystyried, mi ddechreuais
    Daith o'r Aipht i'r Ganaan wlad."

Onid oes gwên ar ei wefus pan gofio am falchter ei dduwioldeb:—

> " Mi ryw synna ar rai oriau
>   Pan debygwy' nad oes dyn
>   Sydd yn teithio llwybrau newydd
>   Beunydd ond myfi fy hun;
>   Eto llu wela'i fry
>   Fu'n gyfeillion i myfi."

Darfu bellach am ymffrost, a chlywir swildod yn ei ganu:—

> " Er na theithiais eto nemawr,
>   Nad fi dynnu hynny'n ôl."

Gŵyr am ofn temtasiynau ac ofn marw:—

> " Annioddefol ydyw meddwl "

marw mewn ansicrwydd. Mor wahanol i ehofndra *Aleluia*. Arwydd o'i addfedrwydd yw iddo ddysgu doethach ymddygiad tuag at bethau'r cread. Nid ymgroesa rhag-ddynt mwy mewn braw, ond cais:—

> " Nac i garu y creadur
>   Na'i ffieiddio trwyddo draw."

A hynny, er bod ei ganfod o natur y creadur yn fwy treiddiol nag erioed, ac yn aml yn arswydus. Ni chanodd Sion Cent yn llymach na hyn:—

> " A oes neb o'm holl gyfeillion
>   A ddaw'n ddiddig gyda mi
> Ac a orwedd wrth fy ochr
>   Obry yn y ddaear ddu?

A yw cyfaill ddim ond hynny,
Taflu dagrau, newid gwedd,
Pan bo'r pridd a'r clai a'r cerrig
Arna i'n cwympo yn y bedd."

Tardd y swildod a'r mwynder sy'n amlwg yn y *Môr o Wydr* o brofiad addfetach Williams. Teithiasai erbyn hyn gryn bellter ar lwybr duwioldeb Cristnogol, ac fel pawb a fuasai'r ffordd honno ac a adawodd inni ei hanes, cyfarfu â loesau annisgwyl a chelyd. Yn hytrach na bod cariad dwyfol yn ei dywys i helaethach cysuron ysbrydol a phereidd-iach porfeydd, fe'i dwg i ddiffeithdra a newyn ac anobaith. Dro ar ôl tro fe gais y bardd ddisgrifio'i gyflwr: "'Rwy'n gorwedd yn y carchar du," "Gwlad o dywyllwch wyf yn trigo," a thywyllwch nos neu garchar yw'r enw a rydd ef amlaf arno:—

" Oll o mewn nid oes ond t'w'llwch,
Oll o mewn nid oes ond poen,
Rhyw ddieithrwch oer digariad
At y croeshoeliedig Oen."

Yna, mewn emyn maith a gwerthfawr, fe ddarlunia'i brofiad yn fanwl:—

" Fy ffydd sy'n soddi obry 'lawr
Dan donnau f'anghrediniaeth mawr,
Yn gwrthod addewidion llawn
O drugareddau gwerthfawr iawn.

Trwy wrthddadleuon gwag, di-sail,
A mân resymau rif y dail,

'Rwy'n ffaelu pwyso ar f'Arglwydd cun
A ffaelu bwyta 'mwyd fy hun.

A bwyswyd neb o dan fath bwn,
A ddaliodd neb fath faich â hwn?
Gweld Duw yn cuddio ei wyneb pur,
A chalon galed fel y dur?

Gobeithio heb obeithio dim,
Yn credu erioed heb fawr o rym,
Bywyd di-fywyd heb ddim rhin,
Ond poen wastadol im fy hun."

Y mae'r diagnosis gofalus hwn, engh-
raifft dda o allu analytig Williams, yn
dwyn ar gof ddisgrifiadau tebyg gan
dduwiolion eraill, ac yn arbennig ddis-
grifiad Sant Ieuan y Groes o'r cyflwr a
elwir ganddo ef yn Nos Enaid, ffigur
sy'n drawiadol agos i "dywyllwch"
Williams.[1] Nos yr Enaid yw'r cyflwr o
baratoi ar gyfer cymundeb perffaith â
Duw, yr un cyflwr ag a enwir gan awduron
ysbrydol eraill yn Ffordd y Puro, pan brofo
Duw yr enaid megis â thân, er mwyn ei
garthu o bob delw namyn ei ddelw'i hun.
Ebr Ieuan y Groes: "Llyncir yr enaid
mewn tywyllwch dwfn a llwyr onis clywo'i

[1] Ganed Sant Ieuan y Groes yn 1542 ger Avila yn Sbaen.
Yn 21 oed aeth yn fynach dan urdd y Carmeliaid, ac astudiodd
ddiwinyddiaeth ym mhrifysgol Salamanca. Cyfarfu â'r
Santes Teresa yn 1567, a than ei harweiniad hi ymroes i
ddiwygio urdd y Carmeliaid. Erlidiwyd ef lawer. Bu
farw yn 1591. Cydnabuwyd ei santeiddrwydd yn 1726 a'i
ganoneiddio. Ei brif weithiau yw *Esgyniad Carmel*, *Y Nos
Dywyll*, *Fflam Fywiol Cariad*, a'r *Caniad Ysbrydol*. Yr oedd
yn fardd mawr yn gystal â chyfrinydd.

hun yn ymddatod a'i ddiddymu yn nhranc
ei gyneddfau. Gyda hynny y mae'n
profi gwagter enbyd a newyn annioddefol
am y tri math ar drugaredd a allo gysuro
enaid, sef y trugareddau tymhorol,
naturiol, ac ysbrydol. Megis tân yn cnoi
rhwd yr haearn, felly y glanhâ Duw gyn-
eddfau'r enaid rhag dyheu am y tru-
gareddau hyn. Ac oblegid gwreiddio o'r
dyheadau hyn yn ddwfn yn sylwedd yr
enaid rhaid iddo brofi'r gwagter llwyraf
o bopeth. A thrwy'r profion hyn y daros-
twng Duw yr enaid i'r llwch. . . . Gellir
dweud am yr enaid yma ei fod yn mynd
i'r purdan yn y bywyd hwn. Glanheir ef
yma megis y glanheir eraill yno. Cymaint
yw ei boen a'i gur fel y cred yr enaid fod
y Duw a wasnaethodd mewn dedwyddwch
gynt wedi ei adael. Ymesyd temtasiynau
anobaith yn haerllug arno, er ei fod yn sicr
o'i gariad ef at Dduw ac y rhoddai 'i hun
filwaith trosto. Ond mor flin yw ei gyflwr
fel na allo mo'i berswadio'i hun i Dduw ei
garu ef erioed. Y mae gweddi yn ofnadwy
anodd. Ni all na thrwy'r deall na thrwy'r
serchiadau ei godi'i hun at Dduw. Ac o
daw iddo weddio, odid na bydd mor
grinsych ag y barno na wrendy Duw
mohono na'i ystyried ddim."[1] Fe welir
ar unwaith fod y disgrifiad o gyflwr enaid
a geir yma yn debyg yn ei brif nodweddion

[1] Pourrat, *La Spiritualité Chrétienne*, III, 302–303.

i'r disgrifiad yn emyn Williams, yr un
anobaith, Duw yn ymguddio, anhawster
gweddïo a chalon-galedwch, poen gwastadol
a phrofiad o sychter a diffeithdra. A'r
nos gyntaf a ddarlunnir gan Ieuan y Groes
yw Nos y Synhwyrau. Yn honno y
chwantau a losgir, a'u gwacàu o bob
dymuno cnawd, a'u gadael yn ddiffaith,
oni byddont barod i'w llenwi gan Dduw
ei hun. Cawn yn y *Môr o Wydr* feddwl
cyffelyb :—

> " Chwychwi ffynhonnau'r bywyd gwir,
> Afonydd o bleserau pur,
> Chwi lifwch dros holl anial dir
>   Fy enaid llesg ei wedd ;
> Chwi lenwch yr eangder mawr,
> *Y nwydau sydd yn wag yn awr,*
> Ac yn hiraethu bob yr awr
>   Am bleser draw i'r bedd."

Cofier bod y disgrifiadau hyn i'w derbyn
yn llythrennol. Y maent yn ffeithiau
eneidegol. Deall hynny, a gwybod digon
am ein natur ddynol ein hunain a dyfnder
ein cnawdolrwydd, a rydd i ni, na phrofasom
ddim ohonynt, ryw olau ar danbeidrwydd
llosgol y puredigaethau hyn. Drwy'r
blynyddoedd yma yr oedd Williams yn
byw megis ym mhurdan. Ond dyfnach a
mwy arswydus na Nos y Synhwyrau yw
Nos y Meddwl. Ac yn honno nid dysgu
i'r enaid ymwrthod â phopeth cnawd, ond
ei ddiddyfnu oddiwrth bob trugaredd ysbryd-

ol fel nad ymhyfrydo ynddi.[1] Rhaid troi
oddiwrth bob datguddiad dwyfol, pob
ymweliad cysurlon o hedd, pob sibrwd
dirgel yn y galon, pob gweledigaeth nefol
a phob sicrwydd am fywyd tragywydd.
Rhaid ymwadu â thiriondeb Duw a bod yn
gwbl wag, yn llymun unig, canys ni ellir
ond yn llwyr unig fynd at yr Unig ei hun.
Nid wyf yn tybied i Williams brofi pured-
igaeth mor llwyr â hyn, ond diau mai
profiad o'r natur yma sydd yn ei emyn.
Un o nodweddion *Aleluia* oedd ymhyfrydu
mewn moethau ysbrydol, ymweliadau o
ras Duw; a phan gilient, dyheu amdanynt
a myfyrio arnynt a'u barnu'n ddigon.
Deallodd Williams, fel y gwelsom, fod
hynny'n lluddias cynnydd ysbrydol, a diben
y tywyllwch a ddisgrifir ganddo yn y
Môr o Wydr yw ei ddiddyfnu oddiwrth
radau Duw a'i yrru at Dduw ei hun.
Am Dduw yn unig y dyhea fwyfwy yn y
llyfr hwn. Bid sicr fe'i swynir o hyd gan
drugareddau ysbrydol:—

> " Ar fryniau 'th drugareddau mawr
> Difyrrwn f'oes o awr i awr,"

ond mwyach nid digon ganddo faddeuant
Duw:—

> " Dyw'r gair maddeuant imi ddim
> Heb imi weld dy wyneb-pryd."

[1] Pourrat, op. cit. III, 299.

Daw'r geiriau 'yn unig' a 'dy hunan' yn amlach o hyd yn ei ganu, a'i fywyd yntau'n ymroddiad llymach i un amcan :—

> " Heb un achos, heb un neges,
> Ond yn unig dy fwynhau,
> Hyn ei hunan
> Fydd fy ymgais tra f'wyf byw."

Droion fe gais fynegi llwyredd ei ymroddiad, emyn ar ôl emyn yn ei wthio 'mhellach ar hyd ffordd unigedd ; ac o'r diwedd daw iddo'r ffigur a fynnai, yn angerddol megis Cerflun y Nos gan Michel-Angelo, a phennill wedi unwaith y ddarllener ni ellir fyth ei anghofio, y symbol terfynol o ymgysegriad yn ein llenyddiaeth ni :—

> " Rwy'n morio tua chartre'm Ner,
> Rhwng tonnau maith yn byw,
> A dyn heb neges dan y ser
> Ond 'mofyn am ei Dduw."

Nid rhyfedd i Williams ei hun yn ing y blynyddoedd hyn weiddi allan :—

> "Lladd yn ddistaw mae ei gariad
> Heb gael gweld ei nefol wedd,
> Mae eiddigedd yn ei gwmp'ni
> Sydd yn greulon fel y bedd."

Ac nid peth lwcus yw cryfder ffurf y pennill a godwyd. Yn y *Môr o Wydr* fe symuda o symlrwydd tawel y pennill pedair llinell—esiampl arall yw perffeithrwydd yr emyn 'Mi dafla 'maich oddiar fy ngwar,' —i fawredd dwys a chynhyrfus y penillion

meithach lle y mae i'w dôn ddyfnder fel
llais organ:—

> " Holl angylion nef gwmpasog
>   Sydd o nifer gwlith y wawr,
> Pe bai eu tegwch a'u rhinweddau
>   Oll mewn un rhyw angel mawr,
> Tywyllai'i harddwch mewn munudyn,
>   Toddai ei ddoniau maith yn un,
> Wrth ymddangos i gymharu
>   A'r hwn a wisgodd natur dyn."

A gall eto sgrifennu penillion sy'n delyn-
egion pur ac ysgeifn, a naid y lyrig ym
mhob llinell:—

> " O, Rosyn Saron hardd,
>   O'r lili wen ei lliw,
> Nid oes o'r ddae'r a dardd
>   Flaguryn fel fy Nuw;
> Ym mhlith y coed rhyw gangen lawn
> O sypiau grawn, f'Anwylyd yw."

Onid yw'n bryd cydnabod yn y *Môr o Wydr*
un o lyfrau mawr barddoniaeth Gymraeg, a'r
ystwythaf o gyfrolau Pantycelyn?

IV

THEOMEMPHUS: Y RHAGYMADRODD

SANT BONAFENTUR oedd y cyfrinydd Crist-
nogol cyntaf i ddisgrifio'n bendant ddat-
blygiad y bywyd ysbrydol, a'i rannu'n dri
chyfnod, y tri a ennwyd eisioes, sef cyfnod
puredigaeth, cyfnod goleuni, a chyfnod yr
uno. Saif y trefniad hwn yn glasurol hyd
heddiw, ac ni wnaeth yr awduron Sbaeneg,
Teresa a Ieuan y Groes, a sylfaenodd gyfrin-
iaeth Gristnogol fodern, namyn helaethu
ar ddosraniad Bonafentur a disgrifio'r tri
chyfnod â manyldeb gwyddonol llwyrach.
Yn ôl y dysgawdwyr hyn, prif gynnyrch
moesol cyfnod y puro yw gostyngeiddrwydd.
Rhyfedd fel y darfu'r sôn amdano. Yn
ein hoes ni prin y mae i'r gair ystyr namyn
ystyr nacaol, megis ymryddhad oddiwrth
falchter neu goegni. Ond i'r hen awduron,
ac i bawb a ddarganfyddo sylweddau'r
bywyd ysbrydol, y mae i'r rhinwedd hwn
werth cadarnhaol a gallu.[1] Trwy ostyng-

---

[1] Cefais help arbennig gan ysgrif Charles Du Bos:
Jacques Rivière, et de la féconde humilité (Nouvelle Revue
Française, Janvier 1926).

eiddrwydd yr adnebydd dyn ef ei hunan.
Tynnwyd y mwgwd oddiar ei lygaid.
Peidiodd â'i roi ei hun ar bedestal hunan-
barch. Fe'i gostyngwyd a'i lorio. Y cerflun
ohono'i hun a ffurfiodd ei ddychymyg yn
gysur iddo, wele ef yn ddeilchion. Bellach
nid oes a'i rhwystra: gall edrych i mewn
iddo'i hun, a'i weld nid mewn drych
chwyddedig, ond mewn goleuni ffaith. Felly
gostyngeiddrwydd yw sylfaen eneideg
wyddonol ac ymholiad. Gŵyr pob efryd-
ydd meddwl mor gyfrwys yw dawn
dyn i'w dwyllo amdano'i hunan. Disgyb-
laeth ffordd y puro yn unig a'i rhyddha
oddiwrth ei dwyll, a'i try'n deg a gonest
tuag ato'i hunan, fel y medrer disgrifiad
cywir o'i gyflwr. Canys er mai rhoi golau
ar Dduw a wna'r *via illuminativa* yn y
pen draw, fe gychwyn mewn eneideg a
rhoi golau ar natur dyn. Gwelsom i Wil-
liams yntau yn *Nrws y Society Profiad*
honni bod craffter eneidegol yn braw sicr
o gynnydd ysbrydol. Gwelsom mai gostyng-
eiddrwydd yw un o nodweddion caneuon
y *Môr O Wydr*. Ceisiwyd dangos bod y
blynyddoedd y cyfansoddwyd yr emynau
hynny yn gyfnod o brofiadau angerddol
yn ei hanes. Ar eu diwedd daeth iddo
wobr. Yn sydyn gwawriodd arno ystyr ei
brofiadau. Gwelodd â threiddiolwch a
manyldeb gweledigaeth helyntion yr yrfa
ysbrydol, a gorfu arno fynegi'r cwbl mewn

un gwaith mawr: "Fe redodd y llyfr hwn allan o'm hysbryd fel dwfr o ffynnon, neu we'r pryf copyn o'i fol ei hun." Yn *Theomemphus* fe gerddodd Williams ffordd y goleuni. Diwedd y gân a fydd ffordd yr Uno.

" Y mae yn ddarn o waith newydd nad oes un Platform iddo yn Saesoneg, Cymraeg, nac yn Lladin a'r wn i."[1] Gwadodd Mr. W. J. Gruffydd hyn.[2] Ceisiodd ddangos bod Williams, yn arbennig yn ei ddull o ddechrau'r gân, yn dilyn dulliau Homer, Fyrsil, Milton, a'r beirdd epig enwog. A digon gwir bod yn *Theomemphus* aml ddyfais a rhai syniadau a fenthygiwyd oddiar *Goll Gwynfa*. Ond pethau arwynebol yw y rhain, ac ar fater newydd-deb *Theomemphus*, Williams yn hytrach na Mr. Gruffydd sydd yn ei le. Nid 'epig y diwygiad' yw'r gerdd, a rhoi i'r gair epig yr ystyr sy'n gyffredin iddo yn hanes llên. Nid cân wrthrychol mohoni, na cherdd hanes am nac arwyr na chenedl. Gorwedd ei newydd-deb yn ddyfnach nag y gall tebygu ei dechrau i ddechrau'r cerddi epig ei ddangos. Gwrandawer ar Williams: "Ni ellir ei alw yn Alegori, am fod y

---

[1] *Theomemphus : Y Rhagymadrodd.*

[2] Y Llenor, 1922 : *Theomemphus*, gan W. J. Gruffydd. Yr unig feirniadaeth o bwys a ysgrifennwyd hyd yn hyn ar y gân.

personau yn wir ddynion, a'r pechodau, grasusau, temtasiynau, a'r lleill o'r gelynion tumewnol ac allanol yn cael eu dodi yn eu henwau priod, heb un troellymadrodd. . . . Ond oddiwrth yr amryw gyfnewidiadau personau, a phob person wedi ei dynnu orau ag allwyd ar ôl ei alwad, ei waith, ei rasusau a'i garacter, gellir ei alw yn brydyddiaeth Dramatic."

Cofier mai'n ddigon prin y darllenid Shakespeare hyd yn oed yn Lloegr yn 1764, a darllener ymlaen: " Y llyfrau gorau o'r dull hyn a welais yn descrifio Credadyn yn ei argyhoeddiadau, ofnau, cysuron, a'i demtasiynau, yw Bunyan yn ei *Ryfel Ysbrydol, Taith Cristiana,* yn enwedig *Taith Pererin ;* etto nid yw ei saint ef yn gallu cydredeg yn hollol â saint y Testament Newydd; y mae amryw fwhwman i athrawiaethau, amryw wrthgiliadau, codiadau, athrawon gau yn denu, cysuron, a themtasiynau, ar hyd Epistolau Paul, Pedr, Jaco, Jude, yn enwedig saith eglwys Asia, ynghyd a hanes bywyd y brif eglwys, nad oes fawr o'u pictiwr yn *Nhaith y Pererin.* . . . Mi feddyliais i mi fynd a *Theomemphus* trwy brofedigaethau neilltuol, gwrthgiliadau, ofnau, dychrynfâu cydwybod, cwympiadau, codiadau, caethiwed, cysuron, heddwch, rhyfel, llawenydd, gorfoledd, llwybrau gau, llwybrau union, temtasiynau oddiwrth gyfeillion, gelynion,

yr eglwys, a'r gau athrawon, gau athraw-
iaethau, crefydd y deall, gau ymorphwys-
iadau, a holl demtasiynau'r serchiadau,
sef caru, casau, hyderu, tristau, llawenhau,
yn union neu yn gau, ac amryw o ddrwg
a da eraill, nad aeth y Bunyan hwnnw sy
nawr yn y nef ag ef.''

Y ddau beth a haera Williams yn y
rhagymadrodd tra phwysig hwn yw: (1)
mai cân ddramatig, sef yw honno, cân yn
creu personau byw, yw *Theomemphus;*
(2) bod ei ddull ef o ddarlunio cymeriadau
yn wahanol i'r hen ddull clasurol mewn
Saesneg, Cymraeg, a Lladin, dull a gyn-
rychiolid iddo ef yn arbennig gan nof-
elau Bunyan, ac mai yn y gwahaniaeth
hwnnw y gorwedd newydd-deb a gwerth ei
waith.

Y mae'n duedd yn y mwyafrif o'r beirdd
mawr greu personau byw. Er mwyn cyfleu
mewn symbol y profiad y mynnir ei fynegi,
nid oes gyfrwng mor gyfoethog, mor gymh-
leth â pherson, na dim arall mor fyw nac
mor gyffredinol ei apêl. Pan feddyliom
am ganeuon godidog llên, nid am linellau
na pharagraffau neilltuol y meddyliwn,
nac ychwaith (oddieithr yn anaml iawn)
am gyfundrefn feddwl, ond yn hytrach am
gymeriadau sy'n crynhoi ynddynt eu hun-
ain fêr y caneuon: Achilles, Clytemnes-
tra, Oedipus, Dido, Beatrice, Lear. Felly
yn *Theomemphus* fe grynhoes Williams

brofiadau'i fywyd yn oriel o bersonau byw.
Y mae Boanerges, Athemelion, Abasis, y
Tad Alethius, bob un yn gymeriad crwn, a
bortreadwyd yn fras eithr yn bendant.
Yn arbennig fe ddangosir ei athrylith creu
a bywiogrwydd ei sylwi yn y darluniau a
dynnodd o arwyr y dadleuon diwinyddol.
Megis rhwng dynion a fo'n byw ynghanol
yr unrhyw amgylchiadau ac yn ymhyfrydu
yn yr un pethau, felly nid oes rhwng Ortho-
cephalus, Schematicus, Seducus ac Arbitrius
Liber, namyn mân wahaniaethau mewn
acen neu bwyslais, ond trwy'r gwahan-
iaethau cywrain hynny dangosir pob un
ohonynt yn gymeriad ar ei ben ei hun.
Canys trwy'r darluniau oll fe red rhyw
falais ysgafn, craff, rhyw watwareg dawel
ddigon ond treiddiol, sy'n fwy na dim yn
cyfleu sicrwydd bod y personau hyn yn
rhai byw. Ceir enghraifft o hynny yn llun
Athemelion:

"Yn awr fe brynai lyfrau f'ai tros ei bwngc ei
   hun,
   Am hwnnw fe wrthddadlai os gallai a phob
   dyn;
   Fe chwiliai am scrythurau yn ddiwid iawn bob
   dydd
   Bid cam neu iawn i brwfio anwylaf bwngc ei
   ffydd."

A thyf ei watwar yn frath ac yn epigram
yn yr hanes am garu Abasis:

"Nawr roedd e'n gweld ei alwad yn oleu loyw,
  glir,
I gymryd Phania nefol yn briod sanctaidd, bur;
Pan c'ai e' hi yn ei freichiau, bryd hynny
  byddai byw,
Ac y dilynai'n gywir holl gamrau Fengyl Duw.
Ac heddyw fe rodd modrwy gwmpasog ar ei
  bys,
Hen arwydd cariad perffaith, diddiwedd maith
  fe wy's;
Fe gafodd wraig o'r diwedd, ei grefydd rodd e '
  bant,
Ac enw gŵr ddaeth arno, fe gollodd enw sant."

A'r bywiocaf o'r personau oll, canys ef
yw'r cyflawnaf, yw Theomemphus ei hun.
Y mae cyfyngder enaid hwn, pan demtier
ef i gabledd, mor sylweddol fyw ag yw ing
Othello pan drawodd ef Desdemona â'i
law:

"Nes prin y gallai atal rhag gwaeddi yn groch i
  ma's
Ryw sgrech yn erbyn Iesu, ryw sgrech yn erbyn
  gras;
Ei law rodd ar ei enau, fe ataliodd dweud yn awr
Y gair mwya cableddus tu yma i uffern fawr."

Eithr ar fater y portread hwn y mae'n
rhaid ystyried ail haeriad Williams yn ei
ragymadrodd.

Nid peth newydd hyd yn oed mewn
barddoniaeth Gymraeg oedd disgrifio cym-
eriadau. Yn wir, fe ymwrthododd y tradd-
odiad llenyddol â'r gerdd hanes a rhamant

yn unig er mwyn ymroi'n llwyr i foliant,
sef disgrifio personau. Dyna yw testun
caneuon y Gogynfeirdd a'r prif gywyddwyr
o Iolo Goch hyd at Wiliam Llŷn. Ni raid
ond darllen traethodau Einion Offeiriad a
Simwnt Fychan er mwyn canfod pwysig-
rwydd hyn yn namcaniaethau beirniadaeth
glasurol Cymru. Rhoddir ganddynt dudal-
ennau o gyfarwyddyd manwl sut y dylid
disgrifio pob aelod o'r gymdeithas ffiwdal.
Naturiol hynny, oblegid ni bu erioed gym-
deithas arall a roes gymaint pwyslais ar
werth ac annibyniaeth y person unigol.
Ac yn y feirniadaeth Gymraeg y ceir y
darlun gorau o ddelfryd y gymdeithas honno.
Ond sylwer : y darlun delfrydol, y teip, sydd
yma. " Arglwydd, megis brenin neu
ymherodr neu dywysog neu iarll neu farwn
neu bennaeth arall, a folir o'i gadernid, a'i
filwriaeth, a'i allu ar wŷr a meirch ac arfau
a chyfoeth a thraul, a'i ddoethineb, a'i
gymhendod yn llywio gwlad a theyrnas
. . . Gwraig dda o arglwyddes a folir
o bryd a gwedd a thegwch ac addfwyn-
der a digrifwch a haelioni a lledneisrwydd
a doethineb a chymhendod a diweirdeb a
disymlder ymadroddion, a phethau eraill
ardderchog, addfwyn, canmoladwy."[1] Felly
drwy waith y cerddorion oll, pan ganont
gywydd canmol neu farwnad, fe berffeithir
y portread a'i dra-dyrchafu, onid ymgollo'r

---

[1] Simwnt Fychan : *Pum Llyfr Cerddwriaeth.*

nodweddion personol yn y nodweddion delfrydol. Yn unig mewn ambell gân eithriadol, megis marwnad Lewis Glyn Cothi i'w blentyn, yr anghofir am dro y drychfeddwl dyrchafedig, ac y disgrifir nodweddion priod y gwrthrych ei hun.

Trwy holl brydyddiaeth Ewrop yn yr Oesoedd Clasurol, yn ' Saesneg, Cymraeg, nac yn Lladin ', ni cheid gan amlaf ond hynny. Ac megis y gwelodd Williams, y mae nofelau Bunyan yn ffyddlon i'r tra-ddodiad. Teipiau a geir ganddo yntau hyd yn oed pan ddychano. Dyna yw Cristion, Ffyddlon, Bydol Ddoethyn, Mr. Cofleidio'r Byd. Y mae'n canlyn hynny bedwar peth. Un yw bod y cymeriadau a ddisgrifir yn dra syml. Rheolir hwynt gan un prif nwyd neu duedd. Nid oes ond mewn ambell un ohonynt gymhlethdod dyrys a chyfoethog bywyd unigolyn. Yn ail, ni thyfant ddim na newid, ac nid effeithia'r blynyddoedd arnynt. Y mae hyn yn wir hyd yn oed am y dramâwyr clasurol mwyaf, Racine ac Alfieri, sy'n rhydd oddiwrth y cyhuddiad cyntaf. Cymaint oedd eu parch i'r angen am unoliaeth mewn drama oni cheisient wasgu'r dig-wyddiadau oll i gylch un diwrnod ac un lle. Nid oedd ganddynt felly gyfle i ddangos cymeriad yn ymnewid dan bwysau profiad, yn datblygu ac yn ymgyfoethogi. Ac yn sicr ni all y cymeriadau sy'n deipiau na

thyfu na newid. Ni thyf hyd yn oed Cris-
tion yn *Nhaith y Pererin*. Yr un yw ef yn
y diwedd ag yn y paragraff cyntaf,—'a'i
wyneb wedi troi oddiwrth ei dŷ ei hun,'—
teip o Gristion, yn syml a digyfnewid fel
pob teip arall. Dyna ystyr beirniadaeth
Williams ar y llyfr. Y mae i'r bywyd
Cristnogol, ebr ef, brofiadau " nad oes fawr
o'u pictiwr yn *Nhaith y Pererin*". Alegori
yw'r llyfr; nid oes ynddo gyflawnder
bywyd. Yn drydydd: yn y gweithiau
clasurol fe gyfyngir y profiadau a ddis-
grifir i'r rheini sy'n gyffredinol, yng
nghyrraedd pawb. Ni all y cymeriad sy'n
deip wybod am brofiad eithriadol, unig,
canys fe ddinistriai hynny gyffredinolrwydd
ei natur. Fe beidiai â bod yn deip, a
throi'n *wahanol* i eraill. Diau mai'r elfen
gyffredinol hon yw cryfder a diogelwch y
ddrama glasurol . O'i phlegid hi y deil y
clasuron i apelio at y ddynoliaeth oll ym
mhob man ac ym mhob oes, gan rodio
priffordd bywyd dyn. Nid y neilltuol na'r
arbennig yw eu testun, ond y profiadau
sy'n fwyaf dynol, am eu bod yn gyfran pob
dyn a aner o wraig. Perygl parod yr
eithriadol yw bod yn annynol. Gogoniant
y ddrama glasurol yw ehangder a sicrwydd ei
dyneiddiaeth. Yna'n olaf ac yn ganlyn-
iad i'r tri pheth a nodwyd eisioes: gan
mor syml a didwf yw cymeriadau'r gweith-
iau clasurol, o cheir ynddynt hanes o

gwbl, ar y sefyllfa allanol y bydd y pwys-
lais, ac nid ar y profiad mewnol. Gellir
dangos sut yr ymddwg y cymeriad mewn
cyfyngder, a'r dull yr wyneba ef anhawster;
bu hynny'n destun gwych i lawer o'r
trasiedïau mwyaf a sgrifennwyd erioed.
Ond yng ngwrthdrawiad y cymeriadau, yn
y gwneuthur, y bydd y diddordeb. Felly
hefyd fe droes Bunyan y bywyd ysbrydol yn
beth allanol, gwrthrychol, yn siwrnai a
arwain yn union ymlaen ar hyd ffordd
hysbys, yn gyfres o ddigwyddiadau, nid o
gyflyrau meddwl.

Ebr Williams: nid alegori yw'r gân hon.
Nid teip yw Theomemphus, ond gwir ddyn
a chanddo holl gymhlethdod person byw.
Megis person byw y tyf ef ac ymgyfoethogi
ac ymnewid, fel nad yw'n debyg yn nherfyn y
gân i'r hyn ydoedd ar ei chychwyn. "Wel
dyma'r dyn" yw ei "sgrifen-fedd," dyn a
weodd ei brofiad yn rhan o'i bersonoliaeth, a
greodd ei bersonoliaeth yn wir o'i brofiadau.
Gan hynny, ar y profiad, ar y cyflwr meddwl
y rhoddir pob pwyslais drwy'r gerdd. Dyma
hanfod newydd-deb *Theomemphus* yn
hanes meddwl Ewrop. Rhoes athroniaeth
y ddeunawfed ganrif ei holl barch a'i holl
bwys ar yr elfennau rhesymol, ymarferol,
gweithredol, ym meddwl dyn. Un yn
rhesymu, yn penderfynu, yn casglu syn-
iadau trefnus a chlir a chyffredinol, yna'n
gweithredu arnynt: dyna'r fath un a oedd

dyn ym marn athronwyr o ddyddiau
Descartes hyd ddyddiau Kant. "Synnwyr
da," meddai Descartes, "yw'r peth a
ddosbarthwyd oreu o ddim yn y byd . . .
dengys y ffaith a nodwyd fod y gallu i
farnu'n iawn, yr hyn yn briodol yw'r peth
a elwir yn synnwyr da neu reswm, wrth
natur yn gyfartal ym mhob dyn."[1] Dyma'r
frawddeg a benderfynodd amryw o nod-
weddion Clasuraeth yr ail ganrif ar bym-
theg a'r ddeunawfed. I'r athronwyr hyn
yr oedd y cyflyrau meddwl amhendant,
eithriadol neu unig, pob teimlad a phrof-
iad ysbrydol, yn bethau i ymgroesi rhag-
ddynt. Yr athrawiaeth Gartesaidd hon
a luniodd ddiwinyddiaeth y cyfnod, a'i
phwyslais ar foesoldeb a rhesymoldeb;
a'r unrhyw ddysg a ffurfiodd egwyddorion
beirniadol y Doctor Johnson a barddoniaeth
Pope a Goronwy Owen. Medd Williams
amdani:

> " A'i bleser ef i gyd
> Yw ymresymu'r cwbl a glywo fe yn y byd;
> Ar reswm mae'n seilfaenu fel seilfaen gref,
> ddifai."

Dymchwelodd Williams yr egwyddor hon.
Dirmygid hi gan Theomemphus:

> " Mae Satan o oleuni fel finnau'n ddigon llawn."

---

[1] *Traethawd ar Drefn Wyddonol*, Cyf. D. Miall Edwards
tud. 1.

Pan ddywedodd Efangelius:

" Mae caru yn un â chredu,"

a phan ddywedodd Theomemphus:—

" *Prawf* wyf am gael o'r cyfan . . .
A *theimlo* yr athrawiaeth,"

fe heriwyd nid yn unig ddiwinyddiaeth y
ddeunawfed ganrif, ond ei holl feddwl.
Fe drosglwyddwyd gwerth bywyd o gylch
rheswm, y peth cyffredinol, i gylch cyng-
reddf, o weithredoedd i deimlad, o foesol-
deb i brofiad.   Llygrwyd ffynnon clasur-
aeth y cyfnod.   Daeth i mewn i fywyd
Ewrop ddyn newydd, creadigaeth newydd,
un a deimlai ac a brofai, Theomemphus,
y cymeriad rhamantus.

Er pan sgrifennwyd y bennod gyntaf o'r
llyfr hwn daeth o'r wasg Saesneg lyfr
pwysig gan y Miss A. E. Powell ar y
ddamcaniaeth ramantus mewn barddon-
iaeth. Ynddo dywedir:

" Poets (for the English Romantics) are men of
rare and strange experiences. Their prototype is
Endymion, groping for foothold in the kingdom of his
moon goddess. They make men ' feel vividly, and
with a vital consciousness, emotions which ordinary
life rarely or never supplies, occasions for exciting,
and which had previously lain unawakened, and
hardly within the dawn of consciousness ' (De Quin-
cey). . . . And of all experiences, the greatest and
nearest to the desire of the romantics was to ' behold

and know something *great*, something *one* and *indivisible*' (Coleridge), the warrant of a supersensible reality one yet infinite, the meaning and ground of the universe."[1]

Craffer yn fanwl ar y deffiniad hwn, yn arbennig ar y frawddeg gyntaf a'r olaf. Dywedais mai un o nodweddion y beirdd clasurol oedd cyfyngu'r profiadau a ddisgrifient i'r ychydig hynny a oedd yn gyffredinol, ac ymgroesi rhag y profiadau dieithr ac unig. Dengys Miss Powell mai'r profiadau neilltuol hyn oedd prif ddyhead yr ysgol ramantus, ac yn fwy na dim, rhyw brofiad mawr o sylweddau ysbrydol ac uwchanianol a fyddai'n esboniad ar fywyd ac yn sail iddo. Onid yw'r disgrifiad hwn yn berffaith yn ei addasrwydd i *Theomemphus*? Trwy'r gân, dyn unig yw Theomemphus, yn teimlo'n fwy angerddol nag eraill, yn drist yng nghanol llawenydd : symbol mor gyflawn bob tipyn o'r bardd rhamantus ag yw Endymion ei hun, ac yn debyg i Endymion yn unigedd ymchwil ei oes :

"Fe deithiodd gylch o gwmpas i bob ardaloedd sydd,
Heb weled gwawr, na seren, na haul, na goleu'r dydd."

A'r profiad a ddarlunnir yn *Theomemphus*, mater mawr y gân, yw'r profiad o'r dwyfol

[1] A. E. Powell : *The Romantic Theory in Poetry* (1926) ch. 1.

sylwedd, o Dduw ei hun, y profiad rhyf-
eddaf a allai ddigwydd i ddyn ar y ddaear.
Pan ddelo'r gân hon i'w phwynt, a chael
o Theomemphus yn y diwedd y peth a
ddymunai, fel yma y disgrifir ef:

" Ni ddeallodd ac nis clywodd erioed o'r blaen gan
    ddyn
   Yr hyn a gas ei deimlo yr awrhon ynddo ei
    hun. . . .
   Trwy brofi'r hyn nas profodd efe o'r blaen erioed."

Dyna newydd-deb *Theomemphus*. " Y mae
yn ddarn o waith newydd nad oes un
Platform iddo yn Saesoneg, Cymraeg, nac
yn Lladin." Eithaf gwir. Dyma'r gyntaf
o ganeuon mawr y mudiad rhamantus yn
llenyddiaeth Ewrop.

V

TROEDIGAETH LLANC

Gan hynny, 'stori llanc synhwyrus' yw
Theomemphus, hanes un a aned yn fardd,
a chanddo fywiogrwydd dychymyg a rhy-
ferthwy nwydau. Casâi Williams ddynion
oer eu gwaed, ac fe ragwelai yr achwynid
gan y cyfryw eunuchiaid oblegid nad oedd
mater ei gân yn llednais na didramgwydd.
Meddai amdanynt mewn dirmyg: "Fe
ofyn rhyw efnuch na fu erioed yn ymladd
â'r nwydau hyn, na'i demtio ragor i garu
dyn nag y ca'dd un o drigolion America
i'w demtio i garu Spaniard, pa achos y
gosodais hyn yma mor ehelaeth." Nid
oedd raid iddo ymddiheurio. Y cryf ei
nwydau, y dyn y mae rhyw a chnawd yn
danbaid ynddo, hwnnw'n unig a all wybod
am brofiadau angerdd. Ebr Sante de
Sanctis am un a brofodd droedigaeth
gyffelyb i Theomemphus: "Fe garai ac
fe gasâi, ac felly yr oedd yn amlwg ynddo'r
cyfoeth teimladol hwnnw sy'n un o'r

elfennau angenrheidiol i unrhyw gyfnewid
hanfodol ym mywyd dyn."[1]

Magwyd Theomemphus yn grefyddol yng
nghanol Ymneilltuaeth sir Gaerfyrddin yn
y ddeunawfed ganrif, yn sŵn pregethu a
diwinyddu. Yr oedd:

> " Athrawon lawer o ddoniau amrywiol ryw
> Yn heidiau yn yr ardal 'roedd Theomemph yn
> byw."

Byd o syniadau haniaethol oedd ei fyd.
Dadlau am bynciau a chyfundrefnau diwin-
yddol oedd prif ddiwydiant y byd hwnnw:

> " Terfysgwyd pennau'r bobl, fe rannwyd yma a
> thraw,
> Dau biniwn mewn un eglwys, ac weithiau wyth
> neu naw;
> Cyhoeddwyd cymanfaoedd o'r de i'r dwyrain
> dir
> I chwilio gwraidd opiniwn, a gwneud y pwngc
> yn glir."

Cynrychiolydd cyflawn y byd hwn yw
Orthocephalus:

> " Hwn ydoedd wedi ei ddysgu yn ddyrus ddoniog
> ddyn,
> Fe haerodd nad gwirionedd gan neb ond gantho
> ei hun,
> Ac mae gwybodaeth ydoedd mam crefydd bur
> trwy'r byd,
> Ac ar wybodaeth ydoedd ei hadeiladu hi gyd."

[1] Sante de Sanctis: *La Conversione Religiosa, studio
Biopsicologico*, tud. 73. Athro ym mhrifysgol Rhufain yw
de Sanctis. O'i lyfr ef a llyfr Thouless, *Introduction to the
Psychology of Religion*, y cefais i'r cyfarwyddyd mwyaf ar
ochr eneidegol y gwaith hwn.

Ni chafodd Cymru gampusach dychanfardd na Phantycelyn. Saif ar ei ben ei hun. Dull y dychanu traddodiadol yn Gymraeg yw tynnu llun anferth, anhygoel o'r gwrthrych a phentyrru arno enwau ac ansoddeiriau dirmyg. Ceir enghraifft o hynny yn narlun Lewis Morris gan Oronwy Owen yng *Nghywydd y Diawl*. Perthyn dychanu Williams yn agosach i'r traddodiad Ffrengig ac i ddull Dryden, disgybl y Ffrancod, yn Saesneg. Y mae'r darlun, ar y cychwyn, yn gredadwy, yn hawdd ei adnabod. Braidd nad yw'n garedig i'r gwrthrych, yn cydnabod pob rhinwedd a fedd, yn dyner fel palf cath. Ond yn ddisymwth daw'r ewin o'r balf a phob trawiad yn tynnu gwaed. Y mae casineb Williams yn greulon, ac yn ei bortread o'r dadleuwyr diwinyddol diau y dialodd flynyddoedd o ddioddef ganddynt. Disgrifia effaith pregethu Orthocephalus ar un o'i wrandawyr:

"Dygodd ef i'r eglwys, nis dygodd ef i'r Ne'"

ond cyn ei ladd â'r epigram olaf hwn, rhydd inni ei bregeth, sy'n gynllun o barodi mewn barddoniaeth. Ni themtir y bardd unwaith i ormodedd, ond crynhoir holl wendidau'r gwrthrych ynghyd, ac o linell i linell fe dyf y darlun yn feistraidd mewn malais a gwawd:

" Chytunai ddim a Baxter sy'n rhannu'r cyfiawnhad,

Na Chrisp sy'n dodi'r gyfraith yn hollol tan ei
draed,
Na Zinzendorf a'i drefn, 'dwi'n llyngcu un o'r
tri,
Ac ni bydd Athanasius yn feistr ffydd i mi.
Ni chaiff articlau Lloegr eu credu genni'n lân,
Na rhai wnawd yn Genefa rhyw flwyddau maith
o'r bla'n;
Er pured eglwys Scotland, nid purdeb yw hi
gyd;
Ni phinnai ddim o'm crefydd ar lawes neb o'r
byd."

Dyna Anghydffurfiaeth yn ei grym. Nid
rhyfedd i Theomemphus flino ar ddiffeithdra
ei fyd. Fe'i terfid ganddo, a chrino hoywder
ei ieuenctid. Aeth crefydd yn gonfensiwn
cecrus, a'r Beibl, maes y dadleuon oll, yn
grastir sathr. Nid oedd ynddo ddim a
ddenai serch bachgen ag egni gwanwyn yn
ei waed:

" Can's erddo ryw amserau i ddarllen Bibl llawn
Ryw weithiau amryw trosto mewn ieithoedd
lawer iawn,
Yr hanes oedd e'n gofio, 'roedd hynny wrtho
ynglŷn,
Ond hanes oedd i arall, nid hanes iddo ei hun;
Os Lladin, Groeg, neu Hebrew, neu Siriac hen
ynghyd,
Nid oedd i Theomemphus ond swn a thyna i
gyd."

Heblaw hynny, yr oedd byd arall yn
dechrau galw arno â swyn a dyfai beunydd,
byd o ddiangfa, dieithr, disathr, rhyfeddol,
byd ei lencyndod a'i ddychymyg a'i nwydau

iraidd a'i ddyheadau. Terfid ef gan y
byd y tu allan iddo. Tyfodd llais y byd
mewnol yn gryfach, gryfach:

"Ei nwydau afreolus mor nwyfus oedd eu rhoch."

Yr oedd yma addewid am beryglon ac
anturiaethau a holl freuddwydion llanc.
Popeth a gasâi yn y byd o'i gwmpas, fe'u
methrid yn orawenus yma. Hwn oedd
Afallon yr ieuanc, a chanu genethod yn
bêr ar ei awelon. Troes Theomemphus ei
gefn ar y byd crin allanol. Cyflawnwyd
mewnblygiad ei feddwl. Ymroddodd i
fyw ym myd ei ddychymyg.

Ceir dau ddisgrifiad o'r byd mewnol hwn,
un yn y bennod gyntaf o'r gân, a'r llall yn
niwedd y drydedd bennod yn union ar ôl
ail bregeth Boanerges. Darluniau yw'r
ddau o fywyd Theomemphus cyn ei droed-
igaeth, ond bod gwahaniaeth pwysig rhyng-
ddynt. Ymson Theomemphus ei hun yn
adolygu ei fywyd yw'r ail; darlun symbol-
aidd o'i gyflwr yw'r cyntaf. Ni ellir deall
y cyntaf oddieithr yng ngoleuni'r ail, na'i
ddeall o gwbl oni chofier mai symbol-
aidd yw, llun o fywyd ei ddychymyg.
Nid ffeithiau hanes a geir ynddo, ond
ffansïau penrhydd meddwl mewnblyg wedi
eu disgrifio o safbwynt y troedig yn edrych
yn ôl mewn dychryn ar a fuasai gynt.
Dywed Thouless[1] mai un o nodweddion

[1] op. cit., tud. 216.

sicr troedigaeth llanc yw'r duedd i ormod-
iaeth eithaf a symbolaidd wrth iddo ddis-
grifio'i gyflwr cyn ei droi. Eglura hynny
ffieiddiwch y disgrifiad o Theomemphus yn
y bennod gyntaf. Yr oedd hyd yn oed ei
fod yn ffiaidd ganddo:

" Aflendid oedd ei ddechreu, cenhedlwyd ef mewn
   blys,
  Rhwng Hittes ac Amoriad, yn groes i'r ddeddf
   fe wys."

Cymharer hyn â'r disgrifiad ohono wedi ei
droi, ac fe ddeëllir yn derfynol mai darlun
symbolaidd o'i gyflwr meddwl sydd yn y
bennod gyntaf:

" O ddedwydd awr i'm ganwyd, yr awr dded-
   wydda erio'd
  *Oedd honno yr arfaethwyd i Theomemph gael
   bod.*"

Yn sicr, cyfraniad pwysicaf eneideg ddi-
weddar i feirniadaeth Gymraeg yw'r es-
boniad a rydd ar y rhannau hyn o gân
fawr Pantycelyn.

Ceisiwn gan hynny ddisgrifio'r byd
mewnol hwn. Y mae ei ddeall yn fuddiol
er mwyn dilyn y gerdd. A'r ffaith gyntaf
amdano yw mai Theomemphus yw ei
arwr. Yn y byd allanol, ym mysg y
dadleuwyr diwinyddol, nid oedd gyfle
i egni teimladol bachgen ifanc. Nid oedd
yno faes i'w anturiaethau. Ond ym myd
ei ddychymyg, ef ei hun yw'r cawr. Ef

sy'n synnu'r tyrfaoedd, yn ennill clod ac enw a'r sylw i gyd:

" Fe gafodd enw rhyfedd gan luoedd mawrion iawn,
   Pawb oedd yn ei glodfori am ei ryfeddol ddawn;
   Pob ardal bu e'n teithio, fe adawodd ynddynt hwy
   Ryw newydd beth a barai i gofio amdano mwy."

Y mae delfrydau'r llanc hefyd o angenrheidrwydd yn gwbl groes i safonau'r byd allanol; a chan mai rheswm a moesoldeb a ffynna yno, caiff penrhyddid a her ac antur farchogaeth yn fentrus drwy fyd ei ddychymyg:

" Dwed am ei elfen wiblog yn crwydro o le i le,
   Rhy dda y wlad bresennol yn wastad iddo fe,
   Ac am ei gynnydd tanllyd, ac am ei nwydau hy
   Yn creu pob cymdeithas b'ai ef yn Uffern ddu.
   Ni adawodd un gorchymyn a feddai brenin Nef
   Nas torrwyd hwy'n llythrennol ryw amser gantho ef;
   Ac fe ymffrostiai'n fynych, os einioes gai ymla'n,
   Na chai o'r Bibl sillaf fod heb ei roi yn dân."

Gellir felly herio safonau moesol y byd allanol, ac ymogoneddu mewn mynegiant dirwystr o bob mympwy a chwant. Trwy reolau cymdeithas fe lesteirir rhyddid yr unigolyn, ond gall y meddwl mewnblyg ymroi i 'bechod', a chyflawni mewn

breuddwyd a dychymyg y pethau a wa-
herddir gan gymdeithas:

> " Fe wnaeth ffieidd-dra enbyd o fan i fan bu'n
> byw,
> Fe addolodd Baal a Moloc, gelynion perffaith
> Duw,
> Fe gludodd arno'i hunan holl feiau maith y
> byd, . . .
> Pob pechod oedd mewn natur, pob bai sy
> amdano son."

Prif hudol y byd mewnol hwn yw greddf
rhyw. Yn ei lencyndod y dargenfydd
bachgen ei fod yn greadur rhywiol, a daw'r
ymwybod iddo'n aml yn ddychryn a phoen,
ond hefyd—ac yn arbennig pan fo ganddo
gyfoeth teimladol Theomemphus—yn gyffro
ac yn ddyhead diderfyn. Hyn sy'n ffurfio
llencyndod, yn brif gymhellydd holl egni'r
cyfnod. Yn y dyn iach a ffodus fe fynegir
yr egni hwn, ac felly ei fodloni, drwy ei droi'n
fabol gampau o bob math, yn waith, yn
anturiaethau, yn ddarganfyddiadau, oni
ddelo'r adeg y sianelir ef yng nghyplysiad
priodas a ffrwythlondeb plant. Ond nid
yw'r peth mor hawdd ag yr awgryma'r
frawddeg yna. Camp arbennig, ffrwyth
amgylchiadau caredig a ffrwyth ni wyddys
faint o ofid a brwydro, yw iechyd meddwl.
Concwest yw; ac mewn llencyndod y mae
afiechyd meddwl yn fwy normal. Cais y
canol oed wadu hynny a'i anghofio, ond
fe ddangosodd Freud ystyr ac amcan eu

hanghofio hwy. Nid meddwl iach sy gan
Theomemphus, eithr meddwl gorfewnblyg,
y mwyaf enbydus o'r cwbl yng nghyfnod
llanc. Cais ddiwallu ei nwydau rhywiol
yn ffansïau ei ddychymyg ac mewn ymhal-
ogiad, fel y cyfeddyf ei hun :

"Na wna odineb eilwaith, 'does neb ŵyr tan y
  Nef
P'sawl gwaith, sawl ffordd, sawl ystyr y torrodd
  Theo ef.
Mi torrais ef a'm llygaid, mi torrais ef a'm llaw,
Mi torrais ef a'm meddwl ymhell oddiyma draw.
Ni feddai un cymydog un dim o tan y ne
Na chwantai Theomemphus fod hwnnw gantho
  fe,
A'i wraig yn fwy na'r cwbl, ffyddlonaf, hawdd-
  gar, lân,
Pan aeth yn wraig chwenychwn, nis carwn
  hi o'r bla'n."

Cam bychan sydd o hynny i ŵyrdroad y
nwyd rhywiol a melltith annaturioldeb.
Craffer ar y disgrifiad symbolaidd yn y
bennod gyntaf. Sonnir yno am amryw
bechodau, ond y mae'r pwyslais yn amlwg
iawn ar arferion rhywiol annaturiol,— y
meddwl wedi ei blygu o gwmpas y peth
hwn. Enwir yno sodomiaeth ddwywaith,
a nifer o ŵyrdroadau eraill a hyd yn oed
gorwedd gydag anifeiliaid y maes. Ystyr
y cwbl yw gormesu o ryw ar ddychymyg
Theomemphus, y chwant rhywiol yn dyheu
am wrthrych a mynegiant, ac oblegid nas
caiff yn gorfforol, yn clymu ar bob math o

wrthrych yn ei ffansïau, nes gyrru'r llanc
bron yn wallgof. Gwyddai Williams o'r
gorau am beryglon y gwallgofrwydd hwn.
Diolchai oherwydd marw ei ferch, Maria
Sophia, cyn eu gwybod:

> " Hi aeth i'r lan
> Heb wybod beth yw hiraeth ar ôl dyn,
> Na gwybod beth yw cariad, gefnfor mawr,
> Sy'n chwalu'r muriau mwyaf cryf o'i flaen
> Ac yn gwneud Bedlam faith yn hanner llawn
> O hen ac ieuainc."

Felly fe garcharwyd Theomemphus ynddo'i
hunan, a'i feddwl mewnblyg yn ymbleseru
mewn dychmygion a lluniau enbydus. Ceir
gan James Joyce yn ei nofel, *A Portrait of
the Artist as a young Man*, bortread sy'n
dilyn yr unrhyw linellau.

Ond dechreuodd Theomemphus anes-
mwytho yn ei fyd. Gwyddai'n burion ei
fod yn gyflwr anfoesol ac yn groes i bopeth
a ddysgasai. Ni allai ddileu argraff ei
addysg fore:

> " Ond eto trwy bob pleser yn eitha ei rwysg a'i
>   rod
> Fe ofnai fe rai prydiau am amser oedd i ddod;
> Roedd angeu du dychrynllyd a barnwr mawr
>   y ne'
> O'i anfodd yn ymlusgo i mewn i'w feddwl e'.
> Roedd fflamau poeth diwaelod y pydew dwfn
>   mawr
> I'w gof yn dirgel redeg bryd arall ac yn awr,
> Ond nis caent aros yno, fe gyrrai hwynt i ma's."

Felly fe godai gwrthryfel yn ei feddwl. Ceisiai yntau setlo'r frwydr drwy atal ei ofnau, eu hanghofio, eu gyrru o'r ymwybod i'r diymwybod a'u troi'n atalnwyd, a'r atalnwyd hwnnw'n 'dirgel redeg' yn ôl i'r ymwybod a chreu yno derfysg. Dinistriwyd ei heddwch. Troes byd ei ddychymyg yn garchar a'i nwydau'n rheibus fel cŵn, ond yn methu ganddynt eu diwallu, a'i ofnau o hyd yn codi i'w condemnio. *Marwnad Maria Sophia* yw'r *locus classicus* ar y gwrthryfel hwn:

" Diengaist ti ar nwydau cig a gwaed,
  Yr uffern fawr o fewn i fynwes dyn
  Sy'n fflamio i'r lan heb ddarfod iddi byth,
  Pob nwyd heb derfyn, a phob nwyd heb gael
  O oes i oes y ganfed ran o'i chwant,
  Yn bloeddio am gael rhagor iddynt byth,—
  Can mil yn rhagor nid yw ronyn mwy. . . .
  Un tro bydd ofn, tro arall y bydd chwant
  Yn groes i'w gilydd, mil o nwydau'n llyn
  Yn lladd, yn codi, ac yn nychu'r dyn,
  Yn gwneuthur Uffern eang bob yr awr,
  Ac yn gwneud myrddiwn maith i waeddi maes,
  Y bedd, y bedd l "

Dyna gyflwr Theomemphus. Yr oedd yn addfed felly i gyfnewid. Ac mor gywir yw eneideg Williams. Gofala ddangos nad peth sydyn, dibaratoad yw troedigaeth ei arwr. Nid oes un cam sydyn, diachos drwy gydol ei yrfa. Ni bu erioed wyddonydd a chanddo sicrach gafael na

Williams ar y syniad bod deddfau natur
yn gwbl gyson ym mywyd dyn. Nid yn
sydyn y daeth i Theomemphus genadwri
Boanerges. Fe'i disgwyliai a'i ofni:

> " Mi glywais son amdano ryw amser cyn ei ddod,
>   Bum cant o weithiau a rhagor melltithiais
>   ef erio'd.
>   Mi lleddais ef, mi mwrddrais uwchben y cwpan
>   gwin,
>   Mi geblais fel ynfydrwydd ei eiriau mawr eu
>   rhin;
>   Nawr ofnau sy'n fy nghalon, ac ofnau sydd yn
>   gwau
>   Trwy bob gwythïen imi, rwy' bron a llwfrhau."

Hyn oll cyn llefaru o'r pregethwr air.
Dengys eneidegwyr heddiw mai dyna'r cam
cyntaf ym mhob troedigaeth, ac eglurodd
Jung fod hyd yn oed troedigaeth yr apostol
Paul yn dilyn yr un cynllun. Ebr ef:
' Buasai Paul yn Gristion er ys talm ond
heb iddo'i wybod. Oblegid hynny yr
erlidiodd ef y Cristnogion mor benboeth,
canys yn gyffredin arwydd o amheuon cudd-
iedig yw penboethni.'[1] Felly yntau
Theomemphus. Nid oedd pregeth Boan-
erges ond ei atalnwyd ei hun, a yrrwyd
ganddo droion o'i ymwybod, yn dych-
welyd yno â'r nerth anorchfygol a gas-
glasai yn y diymwybod. Dywed gwydd-
donwyr mai'r hyn a ddigwydd yn y

---

[1] Gweler Thouless : op. cit., tud. 189.

diymwybod sy'n gryfaf ei effaith ar fywyd dyn, ac ni flinodd Williams ar ddangos hynny. Ef yw darganfyddwr mawr y diymwybod, mangre'r nwydau, ac ef yw bardd cyntaf gwyddoniaeth a'r meddwl modern yn Ewrop.

Felly, pan gychwynnodd drama bywyd Theomemphus, yr oedd y cwbl wedi ei baratoi. Ni wnaeth pregeth gyntaf Boanerges ond dwyn yn llwyr i gylch yr ymwybod y frwydr a fuasai gynt rhwng y nwydau penrhydd a'i ofnau ataliedig. Gwybod drwy gyngreddf gref mai hynny a fyddai a barodd ei ddig yn erbyn Boanerges. ' Mi lleddais ef', meddai. Gwnaeth a allai i ddianc rhag wynebu'r ing ymwybod. Ond nis medrodd. Mewn un pennill mynegodd Boanerges y cwbl a ofnai :

" Os aur neu arian rhwdlyd neu ryw drysorau'r
   byd,
  Neu faesydd mawrion helaeth sydd yn lledrat-
    ta'ch bryd,
  Neu falais, neu genfigen, neu serch at ferch
    ynghudd
  Sy a mil o demtasiynau yn hongian ar ei
    grudd,
  Yn awr rho ffarwel iddynt."

' Argyhoeddiad ' yw'r hen enw Cymraeg ar hyn, ac y mae'n derm da. Canys *cyhoeddi'r* gwrthryfel a fuasai'n gudd a wna, ei ddwyn i angerdd ymwybod a'i droi'n ymdrech ddirdynnol. Dealla Theomemphus

yn awr nad oes gymrodedd yn bosibl
rhwng ei ddau fyd, a'r deall hwn a'i
trecha :

"Gwae fi, gwae fi i'm geni, mi wela'n awr i
    gyd
Bob ffiaidd beth a wnaethum er pan y de's i'r
    byd ;
Mae 'mhechod yn fy wyneb, ac yn fy ngwasgu
    lawr
Saith drymach na mynyddau i waelod Uffern
    fawr."

' Mae 'mhechod yn fy wyneb '. Y cam
cyntaf tuag at ei droedigaeth yw ei ddwyn
i wybod ei gyflwr, cam mewn eneideg; a'r
gwybod hwn yw achos ei holl ing a'r
rhwyg yn ei feddwl. Ni all aros fel yna
mewn cymaint dirdra :

"Nid llai na thrugain noswaith, nosweithiau
    maith eu hyd
Bu Theomemph mewn cyfwng gan ei feddyliau
    'nghyd,
Anobaith weithiau yn ennill, ac weithiau go-
    baith gwan."

Un cynllun yn unig a genfydd a ddichon
setlo'r terfysg, sef chwildroad llwyr. A
hynny a ddigwydd. Yr ofnau a'r greddfau
cymdeithasol sy'n tueddu at foesoldeb,
fe'u derbyn hwynt i'r ymwybod a'u ffur-
fio'n ' gymeriad ' iddo. Yr un pryd fe
wthia'r chwantau rhywiol i'r diymwybod.
Gellid rhagweld mai hynny a ddigwyddai
drwy'r pennill sy'n disgrifio ymweld hen

gyfeillion ag ef pan oedd waethaf ei
gyfwng:

> " Daeth ato ef Hilarius yn llawen sydd o hyd,
> Ridiculus a Risus, un cwmpni'ch tri ynghyd;
> Hen Philogunus aflan a benyw gydag ef—
> *Fe saethodd Theo hwnnw ag un o eiriau'r nef.*"

Ofn enbyd sydd yma, y penboethni y
soniai Jung amdano. Ni ddylai neb
ddigio'n fawr wrth ragrithwyr. Rhag-
rith yw unig a thruenus loches y gwan a'r
di-arf. Mynn Theomemphus yrru ei
nwyd i'r diymwybod, hynny yw ei angho-
fio, canys fe ddangoswyd eisioes mai
dyna'n fynych ystyr anghofio. Rhyfedd
yw craffter eneidegol y llinellau a ddis-
grifia hynny:

> " A Theomemphus yntau a hunodd gyda hwy,
> Daeth llen dros ei olygon, *fe anghofiodd faint ei
> glwy.*"

Ond sylwer: er y chwildroad hwn, ni
newidiodd ei gyflwr ddim. Eto, fel o'r
blaen, y mae ynddo ddwy duedd groes
i'w gilydd, un yn gymeriad, y llall yn
atalnwyd. Gwelsom mai arfer atalnwyd
yw dianc yn ddiddisgwyl yn ôl i'r ymwybod
mewn breuddwyd neu demtasiwn, a chreu
yno eto derfysg. Felly unwaith yn rhagor
er pob cais anghofio:

> " Ond yntau Theomemphus tan gysgu, ambell bryd
> Oedd a tharanau Sinai fel breuddwyd yn ei fryd.
> Er hepian 'roedd euogrwydd rai prydiau yn
> dod i'w go."

Y mae ei heddwch mor beryglus ag erioed,
a gellir unryw funud ail godi'r gwrthryfel
a'r ing. Mewn un peth, yn wir, y mae ei
gyflwr presennol yn waeth na chynt. O'r
blaen, pan reolid ef gan ei nwyd, bu ganddo
egni a hoywder dychymyg. Ymogoneddai
ym mywiogrwydd ei ieuenctid. Bellach,
llywyddir ei feddwl gan foesoldeb a syn-
iadau byd gwrthrychol nad oes ganddo
wir gydymdeimlad ag ef. Canlyniad hynny
yw llethu ei egni a llyffetheirio'i ddych-
ymyg a tharfu pob gweithgarwch. Troir
ei nwyfiant yn barlys marw:

> " Fe eisteddodd yn yr anial, heb wybod iddo'i
> hun,
> Fe dreuliodd amser heibio fwy nag a ddeall
> dyn. . . .
> Fe roi ryw un ochenaid yn awr ac yn y man,
> Ac er ei holl ochneidiau ni chodai fyth i'r
> lan,
> Tra fu amrywiol eraill o rai a gafodd ras
> Yn teithio 'mlaen tan ganu tua'r etifeddiaeth
> fras.''

Dyna effaith ataliaeth ar feddwl mewnblyg,
a dyna berygl ataliaeth. Ni ddadrys
gadwynau ac ni ddwg iechyd i neb. Un-
waith yn rhagor fe ragflaenodd Williams
ar un o ddarganfyddiadau pwysig Freud, a
rhoes yng ngenau Seducus y feirniadaeth
ddofn hon ar bregeth Boanerges:

> " Fe fuasai'n tynnu'n synnwyr cyn iddo blanu
> gras.''

Byrdwn ail bregeth Boanerges ei hun
yw bod ymatal yn anfuddiol. I Theomem-
phus, a gais gladdu ei nwydau a llechu
mewn syrthni, y mae'r genadwri hon yn
greulon :

"Mae ysbryd sy'n trywanu trwy'r holl orch-
    mynion hyn,
 Trywanu mewn i'r gewyn, y mêr a'r asgwrn
    gwyn,
 *Yn chwilio'r dirgel fwriad, yn ffeindio'r aflan
    fryd,*
 Yn barnu'r holl ddibenion a'u tuedd cynta
    'nghyd.
 Er iti gadw'th hunan yn lân fel papur gwyn.
 Rhag gweithred o odineb o'r dechreu hyd yn
    hyn,
 Os edrychaist draw ar forwyn â llygaid cnawd
    o bell,
 Dy enw yw puteiniwr, ni chai di enw gwell."

Dyma dynnu cig marw oddiar glwyf.
Taflodd olau llachar ar gyflwr y truan, a
gwelodd Theomemphus mai ei dwyllo'i
hun a wnaeth yn ei chwildroad ac na bu
un newid sylweddol ynddo. Yn awr y
ceir ei ymson fawr, y disgrifiad ohono'i
hunan a ddyfynnwyd gennym eisioes yn
helaeth. Cydnebydd mwyach mai 'ffaith
yw ffaith':

"A minnau ffiaidd ydwyf i gyd o'm pen i'm
    traed,
 Yn glwyfau hyd fy nghorun heb nabod dim
    iachad,

Pob nwyd, pob dawn, pob tymer, pob aelod
  imi sydd
Yn pechu yn erbyn Nefoedd bob munud fach
  o'r dydd."

'Ei ladd oedd Boanerges', medd y bardd,
'dim ond chwanegu ei ofid'. Hynny yw,
mynnu ei gael i'r ymwybod. Ac ni all
bod chwildroad arall i leddfu ei gur.
Cenfydd weithian nad oes un achubiaeth
iddo'r tu mewn iddo'i hunan. Dyma bwll
anobaith y meddwl mewnblyg:

"Nis gwn i'r funud yma pa fodd i ddod yn
  rhydd."

Ni all mwyach 'anghofio' ofnau a moesol-
deb. Hynny sydd yn ei gymeriad. Ond
gŵyr hefyd y boen fwyaf y gall dyn ei
phrofi, sef diddymdra ewyllys ac aneff-
eithiolrwydd y cymeriad i dawelu tryblith
nwydau. Ac eto, er mor giaidd hynny, yr
oedd yn gam angenrheidiol tuag at ei
iachau. O hyn ymlaen cynydda'n gyflym
ei amgyffred eneidegol o'i anesmwythyd, a
cheir ganddo'r diagnosis cywir hwnnw yr
haera Williams ei fod bob amser yn arwydd
o gynnydd yn yr yrfa ysbrydol. Cytuna
gwyddoniaeth ag ef mai gwir hynny, a
threfn hyd yn oed meddygon heddiw i
waredu neb o'i atalnwydau yw ceisio'n
gyntaf eu dwyn i'r ymwybod a'u mynegi,
ac yna eu trosglwyddo ar wrthrych newydd.
Mwy na hynny, fe ddeall Theomemphus

nid yn unig achos ei glafychu, eithr hefyd
y modd y deuai iddo ymwared:

> "Nerth, nerth, sydd arna'i eisieu, rhown fyd am
> hwn pe cawn.
> O yspryd pur nefolaidd, cyn 'elwi lawr i'm bedd
> Trwy ryw athrawiaeth hyfryd gad imi brofi'th
> hedd;
> Maddeuant! O maddeuant! Maddeuant! Cy-
> fan rhad
> Yw'r cyntaf peth wy'n geisio yr awrhon yn dy
> wa'd."

Dyma'r tro cyntaf iddo ef ddefnyddio'r
gair 'maddeuant', a phwysig yw'r pwyslais
sydd arno. Trwyddo fe gred y daw iddo'r
heddwch a ddeisyf—a pherthynas rhyngddo
a rhywun y tu allan iddo yw maddeuant. A
sylwer: yn awr yn gyntaf, dan anobeithio
am iechyd o'i fewn, y cais ef ddianc o
gadwyn ei hunanoldeb. Yn hytrach nag
eistedd eto mewn syrthni, fe fynn roi
clust i'r byd o'i gwmpas, fel y gwypo a oes
iddo ymwared yno. Â i wrando ar y
pregethwyr, ac yma y ceir gan Williams
ei ddarlun dychanol o'r dadleuwyr diwin-
yddol ac o athroniaeth ei oes. Ni roddwyd
erioed y clod a ddylid i gynllun a phen-
saernïaeth *Theomemphus*. Daw pob dis-
grifiad a phob interliwd yn ei le priodol,
gan hyrwyddo'r prif amcan a chyfoethogi'r
datblygiad eneidegol sy'n hanfod y gerdd.

Arbitrius Liber yw'r trymaf o'r pregeth-
wyr hyn a phrif gennad meddwl ei ganrif.

Ef yw'r Cartesiad sy'n sylfaenu ei athraw-
iaeth ar ryddid digystlwn y rheswm a'r
ewyllys ym mywyd dyn:

" Nid ydyw dyn heb allu er iddo fynd ar ŵyr,
   Mae ei 'wyllys a'i resymau heb eto eu llygru'n
      llwyr;
   Ei ddeall yw ei reswm, fe gadwodd hwn ei le
   Pan collodd ei frenhiniaeth o fewn i deyrnas
      Ne.'
   A dyma'm neges innau, cyhoedi i chwi'r
      gwir,
   Nid yw'r efengyl euraid a eilw rhai yn rhad
   Ond copi o foesoldeb a phob rhinweddol ddawn,
   A ninnau i'w ei chanlyn o foreu hyd bryn-
      hawn."

Sail y ddysg hon yw deuoliaeth Descartes,
ei syniad ef am annibyniaeth meddwl ar
fater. Fel y dywed ei feirniad diweddaraf,
ymgnawdoliad angel yw tybiaeth Descartes
am ddyn, ysbryd pur yn derbyn gwybod-
aeth drwy gyngreddf ddigyfrwng, a heb
ddibynnu ar synhwyrau, er eu bod hwy
mewn dull anesboniadwy yn cydfod ag ef.[1]
Tebyg yw beirniadaeth Williams:

" Mae yma ryw athrawiaeth sydd yn dyrchafu
   dyn. . . .
   Nid yw Arbitrius Liber hyd heddyw ddim o'r
   dyn
   Sy'n nabod ei euogrwydd a'i wendid mawr ei
   hun."

---

[1] J. Maritain: *Trois Reformateurs, Descartes ou l'incarna-
tion de l'ange* (Paris, 1925). Gweler hefyd ragair y Dr. D.
Miall Edwards: op. cit. tud. 13, 14.

Hynny yw, mewn eneideg y mae Cartes-
iaeth yn wan. Oblegid datguddiad ei
brofiad ei hun, fe ddychwel Williams at y
meddwl Cristnogol gorau, y syniad a
osodwyd yn gadarn yn ei ddiwinyddiaeth
gan Sant Thomas o Acwino—bod undeb
corff ac enaid yn *hanfodol* mewn dyn,
nid yn ddamweiniol nac yn gyfochrol.
Nid yw'r enaid ei hunan ond rhan anghyf-
lawn ohono: "*Anima non habet naturalem
perfectam nisi secundum quod est corpori
unita.*" Gan hynny, y mae'r nwydau'n
perthyn i'r enaid yn gymaint ag i'r corff,
ac ym marddoniaeth Williams, megis ag yn
athroniaeth Sant Thomas, ni ellir yn fanwl
gywir sôn am enaid *a* chorff, ond yn unig
am gorff-enaid, y bod cymhleth, dyn.[2]
Dyna sylfaen athronyddol y gân, *Theomem-
phus*; rhaid dal wrth y syniad hefyd er
mwyn deall datblygiad Williams ei hun,
ac yn arbennig ei ganu diweddarach yn
Ffarwel Weledig a'r hymnau olaf. Hawdd
gweled bellach effaith pregethu Arbitrius
Liber ar Theomemphus. Gwadai hwn yr
hyn a ddysgasai ef mewn ing am ei natur
ddynol. Pruddhawyd ef, ac yn ei ddigal-
ondid braidd na roes heibio obaith, a
throi oddiwrth y byd yn ôl iddo'i hunan:

"A Theomemph yn athrist yn rhodio wrtho'i
  hun."

[2] Gweler E. Gilson: *Etudes de Philosophie Médiévale*,
tud. 108–112.

Ni ddaeth Efangelius ond mewn pryd i'w waredu.

Rhennir pregeth Efangelius yn ddwy ran. Esboniadol yw'r rhan gyntaf, ei gyfran ef yn y dadleuon diwinyddol a'i ateb i Arbitrius Liber. Cyn y gallo egluro trefn achub dyn, rhaid iddo ddangos y fath un yw'r hwn a achubir. Fe ddefnyddia'r un termau diwinyddol ag a ddefnyddiai ei ragflaenwyr, maddeuant, ffydd, credu, anghredu, cyfiawnder, santeiddrwydd; ond eu deffinio o newydd a rhoi iddynt gynnwys gwahanol. Termau haniaethol oedd y rhain gan y Cartesiaid, yn perthyn i fyd rheswm, yr unig fyd dynol yn ôl eu dysg hwy. Medd Efangelius:

" Gelynion yw'th resymau,"

a throsglwydda'r termau oll i fyd dyn, y bod synhwyrus. Prif ergyd y rhan hon o'r bregeth yw cydnabod rhan y nwydau a'r synnwyr yn nhrefn iechydwriaeth, a rhoi iddynt swyddogaeth a chyfle. Nid dull o ymresymu nac offeryn i gymryd lle deall yw credu, ond:

" Mae caru yn un a chredu . . .
A gredodd, hwnnw garodd."

Felly nid â'r rheswm y mae credu, ond drwy'r nwydau:

" Pan ddelost ti i *gredu â'th galon* yn y
gwaed."

Yn y ddiwinyddiaeth Gartesiaidd a lywyddid
gan reswm ac ewyllys, nid oedd le i Grist
ond yn unig

" I roi rhyw reol hyfryd o fywyd nefol ryw."

Eithr yn athrawiaeth Efangelius, sy'n rhoi'r
prif bwyslais ar y nwydau, y mae gofyn
diwallu'r rhain â gwrthrych dyhead a
serch. Carwr yw'r dyn synhwyrus:

" Ond credu yw dy weled yn eisieu oll i gyd,"

a charwr yn unig a'i bodlona. Yn y dad-
leuon diwinyddol Efangelius yw'r cyntaf i
enwi'r geiriau 'caru' a 'serch'. Cyn hynny,
nid oeddynt namyn enwau bwganod ym
mywyd anllad Theomemphus. Wele hwynt
yn awr yn brif dermau yn nhrefn achub, ac
yn allwedd i holl eirfa diwinyddiaeth.
Beth yw ffydd? Dyn yn mynd allan ohono'i
hun mewn dyhead ac yn ymroi i wynfyd
serch:

" Hi ddena yn ddirgelaidd i ganol Nef dy
fryd."

Bu santeiddrwydd gynt yn air o arswyd,
mwyach y mae'n enw arall ar gredu sy'n
gyfystyr â charu:

" Fel credost byddi sanctaidd."

Anghrediniaeth? Rhwystr i fwynhad y
nwydau drwy fethu gan y meddwl droi
oddiwrtho'i hun at wrthrych y tu allan
iddo:

> " Fe rwystra'th anghrediniaeth di lawer o fwyn-
> hau . . .
> Mor gynted yr amheuaist tydi a golli'th
> rym."

Ystyr y cwbl yw nad oes ddeuoliaeth
mewn dyn. Nid corff ac enaid ydyw fel y
dysgasai holl athronwyr y traddodiad
Platonaidd yn Ewrop; eithr corff-enaid,
ysbryd synhwyrol, yn ôl dysg y traddodiad
Aristotelaidd a Christnogol. Trefn achub
dyn yw rhoi iddo garwr fel y dener ef allan
o'i Narsisiaeth, a'i droi tuag at wrthrych a
fodlona ei holl natur. Ynddo'i hun nid
oedd ond ymgnoi a chwant anniwall sy'n
dân ysol. Mewn cariad at wrthrych digonol
gellir ymryddhad a hedd. A oes gan
hynny y fath wrthrych? Yr ateb yw ail
ran y bregeth a'r penillion a ŵyr pob
Cymro:

> " Bechadur, gwel e'n sefyll yn llonydd ar y
> groes,
> Clyw'r griddfan sy'n ei enaid tan ddyfnder
> angeu loes:
> O gwrando ar ei riddfan, mae pob ochenaid
> ddrud,
> Yn ddigon mawr o haeddiant ei hun i brynu
> byd.

Gwel ar y croesbren acw gyfiawnder mawr y
 Ne',
Doethineb a thrugaredd yn gorwedd mewn un
 lle,
A chariad anfesurol yn awr i gyd yn un
Fel afon fawr lifeiriol yn rhedeg at y dyn.

Grym cariad yn y Duwdod oedd gwisgo natur
 dyn,
A chariad a ddioddefodd ei loesau bob yr un;
A chariad anorchfygol yn wenfflam gadarn gref
Sy'n anfon pob rhyw roddion i'w ei gariadon
 ef.

Eich bywyd chwithau bellach, ei sylwedd
 cariad yw,
Dibenion pob dyledswydd fydd cariad at eich
 Duw. . . .

O ras didranc, diderfyn, tragwyddol ei barhâd,
Ynghlwyfau'r Oen fu farw yn unig mae iachad,
Iachad oddiwrth euogrwydd, iachad o ofnau'r
 bedd,
A chariad wedi ei wreiddio ar sail tragwyddol
 hedd."

Yr ydys yn tynnu at ddiwedd y bennod
gyntaf yn hanes Theomemphus. Bu'r
bregeth hon yn foddion cwblhau ei amgyff-
red o'i gyflwr a dangos iddo'n derfynol
achos ei wae. Gall bellach edrych yn ôl
a gweld o gam i gam fel y codwyd y llenni
oddiar stafelloedd dudew ei feddwl, a dyma'r
datguddiad diweddaraf:

" Datguddiodd mynydd Sinai ryw fil o chwantau
 yn un
 Y rhai o'r blaen na weles oedd yn fy nghnawd
 ynglŷn;

A heddyw yw'r diwrnod, truenus yw y
    nod,
Y gwelais anghrediniaeth o mewn im' gynta
    erio'd.
Am fod y gwreiddyn yma, sef anghrediniaeth
    cas,
Mae yma'r holl ganghennau er nad ynt yn torri
    ma's,
Pob gwŷn, pob chwant, pob trachwant ddiff-
    oddodd Uffern dân,
Sydd yma yn guddiedig oedd ynw' i o'r blaen."

Nid ei ofid yn awr yw bod ynddo nwydau.
Dysgodd eu bod hwy yn hanfodol yn ei
natur. Ni chais ychwaith na'u trechu
na'u newynu. Ei Uffern yw ei anghred-
iniaeth, sef mewnblygiad ei feddwl, ei
anallu i fynd ohono'i hun. Hynny sy'n
gwenwyno'i nwydau megis y lladd daear
ddrwg lysiau. Ond nid trwy ewyllysio y
daw ymwared. Ni all neb ei orfodi ei
hun i garu :

    " Amhosib imi garu heb imi erioed fwynhau."

Gwybu Efangelius hynny. Ni alwodd ef
ar neb i orchfygu pechod nac ymroi o'i fodd
i Grist. Ond fe ellir un peth : gellir dal ar
gyfle i demtio'r nwydau, eu troi tuagat y
gwrthrych :

    " Does dim ond edrych yma, mae edrych yn
        iachau,
    Mae edrych yn sancteiddio, *mae edrych yn
        mwynhau.*"

Dyna'r ateb i gri Theomemphus. Ceir gan Dante yn ei *Baradwys* yr un syniad:

> " E non voglio che dubbi, ma sie certo
> Che ricever la grazia è meritorio,
> Secondo che l'affetto l'è aperto."[1]

Edrych, neu yng ngair Dante, troi'r nwyd tuag at y gwrthrych, dyna'r cwbl trwy ras Duw y mae'n rhaid i'r dyn ei wneud. Try edyrch yn gyffroad, y nwyd yn deffro ac yn ymestyn at fodlondeb na wyddai amdano gynt. ' Amhosib imi garu ' medd Theomemphus, ond eisioes fe ddyhea am garu, fe fynn garu. At hynny yr ymdry ei natur megis blodeuyn at yr haul. Rhwystrodd Boanerges iddo garu ei eilunod gynt, rhoes ynddo ofn caru merch a charu annaturiol. Dangosodd Efangelius iddo wrthych delfrydol, Crist y cariad. Er ei holl anghrediniaeth, er blynyddoedd o fewnblygiad meddwl, ni all na ddyhea amdano:

> " Fe waeddodd ar ei liniau fel yma tua'r Ne',
> Ochenaid nol ochenaid yn codi ynddo fe,
> Fel ton nol ton yn dyfod o'i galon drom i'r lan."

A thrwy weddi y daw iddo derfyn a heddwch. Hynny yw, rhydd heibio geisio setlo'i dynged ei hun a theifl y cwbl ar y diymwybod. Yn ei ymwybod, pan feddylio neu

---

[1] *Paradiso*, XXIX, 64–66: " Ac ni fynnwn iti amau, eithr bid sicr gennyt ei fod yn rhinweddol derbyn gras *drwy agor y nwydau iddo*."

pan geisio feddwl, fe'i trechir hyd yn oed
yn awr gan ei feddwl mewnblyg:

"Nis gallsai godi i fyny na gronyn fynd o'r
man,
Mor gryf yw anghrediniaeth yn maeddu yspryd
gwan."

Ond fe baid â meddwl, fe baid ag ewyllysio
ac â phob ymdrechu:

"Ond pan nas gallsai ddiodde, diodde dim yn
hwy,
Gan wres a phoen digymar ei argyhoeddiadol
glwy,
Danfonwyd gair i wared—"

"Ha Fab, mae'th holl aflendid 'nawr wedi eu
maddeu i gyd.

. . . Ac yna daeth tawelwch o'i fewn o nefol
ryw."

Hynny yw, y mae'r meddwl yn ei agor ei
hun i awgrymiadau gweddi, pob ysgogiad
a phob ymdrech wedi eu llonyddu, a'r
bryd mewn cyflwr o dderbyn, o oddef-
oldeb llwyr, cyflwr tebyg i hypnosis, a'r
genau'n adrodd drosodd a throsodd un
frawddeg fer, sy'n dra agos i fformiwla
enwog y diweddar Emile Coué:

"Fe ddaw, fe ddaw 'mhen 'chydig,
Mhen 'chydig bach fe ddaw,"

ac yna, o'r diwedd, drwy awgrymiadau
gweddi, daw'r terfyn anorfod:

"Ac erbyn a llefaru daeth nerthoedd Nefoedd fawr
Fel afon lawn lifeiriol i'w galon ef i lawr."

Yr oedd ei droedigaeth, troedigaeth ei nwyd a'i fryd tuag at Grist, wedi ei chwblhau:

"Fy Nuw! Fy Nhad! Fy Iesu! Boed clod i'th enw byth;
Boed dynion i dy foli fel rhif y borau wlith;
O na bai wellt y ddaear oll yn delynau aur,
I ganu i'r hwn a anwyd ym Methlem gynt o Fair."

Sylwer ar effeithiau hynny. Mewn eiliad fe adferir holl egni a hoywder ei gyfnod pechadurus gynt:

"Ac yna i'r lan fe neidiodd, yn ysgafn oedd ei droed."

Arwydd oedd ei anallu gynneu i godi na symud, o'r parlysu ewyllys sy'n ffrwyth rhwyg yn y meddwl. Bellach y mae'r dyn yn un mewn amcan a dyhead, a dedwyddwch yn crynu ar hyd ei aelodau:

'Dedwyddwch ddaeth o'r diwedd, y fath ddedwyddwch yw
Nas cair mewn un creadur ag sydd tan nefoedd Duw."

A'r ail effaith bwysig yw bod allblygiad ei feddwl yn rhoi iddo am y tro cyntaf flas

ar y byd gwrthrychol a diddordeb mewn
natur:

" Y cyfnewidiad gafodd sy'n peri iddo ef
    I garu'r man o'r wybr 'roedd haulwen fawr y
        Nef,
    Mae'n caru'r gwynt, a'r awel, mae'n caru'r afon
        ddŵr
    Feddyliodd fod mewn cynnwrf pan clywodd ef
        y stŵr."

Wele, gwnaethpwyd pob peth yn newydd
iddo.   Fe'i iachawyd.

VI

ALETHIUS

Yn union ar ôl hanes troedigaeth Theomem-
phus ceir stori dyn arall, sef Abasis.
Methodd gan feirniaid weld amcan yr
interliwd hon, a dywedwyd ei bod yn
dinistrio cyfanrwydd y gwaith. Pell oddi-
wrth y gwir yw hynny. Nid oes ran o'r
llyfr yn fwy pwrpasol. Y mae mor angen-
rheidiol ag yw'r corau yn nramâu Euri-
pides, ac yn arwydd o sicrwydd celfyddyd
Williams pan fo gryfaf ei awen ; arwydd
hefyd o'i ddawn beirniadol creadigol, elfen
anhepgor yng nghynysgaeth bardd. Y mae
hanes Abasis yn ddigon tebyg i eiddo
Theomemphus, yn debyg iddo cyn ei
droedigaeth ac yn debyg iddo wedyn. Fe
ddyfnha ein deall nid yn unig o'r rhan
gyntaf o yrfa'r arwr, eithr hefyd o'r rhan-
nau dilynol. Abasis yw Theomemphus
onibai am un peth. Ef yw Theomemphus
fel y gallai hwnnw'n hawdd fod. Pob cam
o'i yrfa ef, fe'i troediwyd ac fe'i troedir gan

ei frawd, pob cam—oddieithr y cam olaf.
Pob temtasiwn a gafodd Abasis, fe'i profir
gan Theomemphus; a Phania, gwrthrych
olaf a buddugol serch y naill, yw Philomela,
temtasiwn olaf y llall, temtasiwn anfudd-
ugol,—ond mor agos y bu i fuddugoliaeth.

Abasis yw'r dyn cyffredin, di-athrylith.
Cafodd yntau droedigaeth dan effaith
pregethu Efangelius, ond ffenomen a
berthynai'n unig i'w lencyndod oedd ei
achub ef. Setlwyd felly derfysg y llanc a
bu'n feddyginiaeth iddo. Fe daerai meddyg
yn wir, er holl watwar Williams, fod ei
droedigaeth yn beth cyn iached â thro-
edigaeth Theomemphus. Rhoes iddo'r cwbl
a oedd yn angen arno er mwyn meistroli
ei helbul a'i droi'n aelod hapus mewn
cymdeithas. Wele dystiolaeth y byddai'n
falch gan feddyg ei roi i bawb:

" Heb gael un prawf o ofid, heb gael un prawf
    o wae,
  Er pan y cafodd gynta o'i fewn i lawenhau,

  Nac unrhyw gystudd ysbryd o'r dechreu hyd
    yn hyn."

Ac o safbwynt cyffredin cymdeithas y mae
ei droedigaeth yn berffaith. Canys ni
pharhaodd. Nid ataliodd ei ddatblygiad
wedyn. Pan aeth heibio'r cyfnod yr oedd
troedigaeth yn help ynddo, fe ddarfu
hithau. Trowyd ei nwydau i gyfeiriad

cymdeithasol. Carodd ferch, priododd, gwnaeth ei ran naturiol mewn bywyd. Y mae'n gwbl fel pawb arall. Dywed Thouless mai un o nodweddion troedigaeth llanc yw na phery'r effeithiau gan amlaf namyn am dymor.

Dangoswyd mai newid gwrthrych ei serch a wnaeth Theomemphus yn ei droedigaeth. Felly Abasis yntau. Ond cenfydd Williams effaith hynny:

> " Os crefydd sydd yn unig mewn nwydau poeth
> yn llawn,
> I'r cyfryw newid gwrthrych nid yw ef anodd
> iawn."

Yn raddol fe gollodd y gwrthrych delfrydol, Crist, ei afael ar nwyd Abasis, a throes yntau i fodloni greddf rhyw drwy'r moddion normal, cnawdol:

> " Abasis a sefydlodd ar Phania oll ei fryd,
> Cymerodd hi yn wrthrych yn lle Iachawdwr
> byd. . . .
> A'i gnawd am gael ei chwantau, ei gnawd am
> gario'r dydd
> Heb atal, ac heb geisio ei atal nos na dydd . . .
>
> Wrth gael un wraig fe ysgarodd a'r wraig
> oedd ganddo o'r bla'n,
> Ei grefydd fawr hyderus, ei grefydd lawn o
> dan . . .
>
> Ac enw gwr ddaeth arno, fe gollodd enw
> sant."

Cyflawnwyd gwrth-droedigaeth ei nwydau.

Beth yw'r gwahaniaeth rhwng ei hanes ef a hanes Theomemphus? Newid gwrthrych ei nwyd *yn unig* a wnaeth Abasis. Gwelsom fod elfen arall yn nhroedigaeth Theomemphus, sef ymchwil eneidegol i'w gyflwr. Ceisiwyd dangos bod rhan ymholiad yn ei iechydwriaeth yn gyson a grasol a hanfodol. Dacw'r elfen foesol a roddai werth ar ei achub a'i wneud nid yn beth a oddefodd ef—megis pan achuber corff dyn dan operesion llawfeddyg,—ond yn gynnyrch ei holl bersonoliaeth, yn act foesol a rhinwedd ynddi. Dysg Cristnogaeth a dysg Williams yntau yw mai'r peth a ddyd urddas ar ddyn yw ymwybod. Hyn yw bod ar lun a delw Duw. A thrwy ymholiad fe ehengir yr ymwybod, a dyneiddio dyn fwyfwy. Dywedwyd yn y bennod gyntaf fod ymholiad hefyd yn rhan sylfaenol o fethod barddonol Pantycelyn. Heb hynny ni allai fod barddoniaeth. Canys barddoniaeth yw gafael ar brofiad, ei wybod yn drwyadl a'i fynegi'n gwbl. Dull o fyw ydyw, a chael bywyd yn helaethach. Pob cynnydd ysbrydol, pob mynegiant artist, y mae'n gam pellach mewn ymholiad. Dyma i Williams y ffaith ddynol bwysicaf yn y bywyd ysbrydol. Bid sicr, y mae'r diymwybod yn bod, megis cyfandir tywyll a chudd, yn bod yn anhepgor, ond yn bod i'r bardd a'r sant yn unig er mwyn ei ddarganfod a'i ddileu'n raddol, fel yr estynner o hyd derfynau'r ymwybod, pob cân ddilys a phob cywir brofiad yn ehangu ffiniau teyrnas y goleuni. 'Mae sêl nad yw sylweddol,' ebr Alethius, sef yw honno'r sêl nas chwiliwyd, nas dadansoddwyd, ac felly nas meddiannwyd. Nid aeth yn rhan o bersonoliaeth y dyn. Fe yrrodd Williams y truan gân Abasis i uffern, canys fel llawer bardd un anodd ganddo ddioddef ffyliaid oedd Pantycelyn. Fe'i damniodd oblegid nad oedd Abasis ddim yn fardd. Ni fynnai nac ymholiad na mynegiant :

"Fe deithiodd gyda'r gwyntoedd yn gadarn yn ei rym,
Nid ofnai rwydau Satan na drwg ei galon ddim. . .

Nis troi ef fyth ei olwg i'w galon ddu i lawr. . .

Heb nabod mohono ei hunan."

Mewn gair, nid aeth i'r Seiat, gwir orsedd beirdd Ynys Prydain. Canys cyfle oedd y Seiat i ddadansoddi profiad, ei oleuo'n llawn a'i droi'n ffaith mor bendant â cherdd.

Felly, ar unwaith ar ôl hanes Abasis cawn Theomemphus yn cyffesu i Alethius ac yn ei holi ganddo. Nid yw ymholiad unig yn ddigon bellach. Rhaid cael cyfarwyddyd stiward y Seiat i chwilio'r profiad i'r gwraidd ac i addysgu Theomemphus yng nghelfyddyd y bywyd ysbrydol, sef ei adnabod ei hun. Hynny'n unig a wna ei droedigaeth yn gyngreddf gyflawn. Try cwestiynau Alethius o gwmpas ei brofiad a'i dra chyfoethogi. Bu'n help cyson, er nas ennwyd, i ddisgrifio digwyddiadau'r bennod o'r blaen. Goleua gwrs ei droedigaeth o'i dechrau, a chwilio ei gwerth, ei sylwedd, a'i heffeithiau moesol. Nid gwir a ddywedwyd mai nodwedd crefydd Theomemphus "ydyw rhyw ymgyflwyniad hollol o holl natur dyn i sicrhau iechydwriaeth bersonol". Diau y bu felly am dro yng nghyfnod ei argyhoeddiad gan Boanerges:

> "Fy ngalar deddfol cynta, fy maich oedd ef o hyd,
> Rhyw ofid trwm hunanol am achub f'enaid drud."

Ond wedi ei droedigaeth, arall yw canol-bwynt ei fywyd:

> "Nawr mae yma lygad syml at un peth ddydd a nos,
> Sef gogoneddu'm Iesu fu'n hongian ar y gro's.
> A thyma'r bur egwyddor mewn ymgyrch wastad sy
> A'r ddelw fawr o hunan sy'n llechu ynof i.
> 'Rwi'n gweld fy nghalon gyndyn yn ceisio torri maes
> Fel cronfa dŵr lifeiriol fo'n mynd i'r cefnfor glas;
> Yn mofyn lle i ymffrostio, yn mofyn dyrcha'r dyn,
> A minnau eto yn maeddu trwy ddyrcha'm Duw ei hun;
> A phan y bo hi'n chwyddo yn uchel iawn i'r lan,
> A minnau i wrthsefyll ei ymgyrch hi yn wan,

Rwi'n gwaeddi'n groch yn erbyn ei ymffrost
ffiaidd cas,

Y clod fyth a'r gogoniant fo i'th nefol ddwyfol
ras.[1]

A thyma'r gelyn mwya wi'n deimlo imi nawr,

*Rhaid yw o fewn fy ngolwg i'w gadw e' bob yr
awr,*

Ac nid oes genni goncwest sy'n dwyn fath
ysbail faith,

A choncwest arnaf fy hunan un amser ar fy
nhaith.''

Sylwer ar y llinell a italeiddiwyd: diagnosis
cyson ac ymwybod yw diogelwch y bywyd
ysbrydol. A phan ddelo temtasiwn yn ei
nerth, ymholiad ac ymwybod a gwymp
gyntaf o'i blaen, ac unwaith yn rhagor
defnyddir y ffigur o lif dyfroedd i ddarlunio'r
profiad :

" Mae'n ddigon gwir pryd hynny mewn rhyw
derfyscoedd mawr
Bod ofnau o bob natur yn cadw 'mhen i lawr,
Ac na alla'i mewn llifogydd cynddeiriog iawn
eu grym

Fe ddefnyddia James Joyce yr unrhyw ffigur o lif
dyfroedd i ddisgrifio'r temtasiynau cyntaf ar ôl troedigaeth.
Y mae'n werth cymharu ei ddarlun ef ag eiddo Williams :
" He seemed to feel a flood slowly advancing towards his
naked feet and to be waiting for the first faint timid noise-
less wavelet to touch his fevered skin. Then almost at the
instant of that touch, almost at the verge of sinful consent,
he found himself standing far away from the flood upon a
dry shore, saved by a sudden act of the will or a sudden
ejaculation ; and seeing the silver line of the flood far away
and beginning again its slow advance towards his feet, a new
thrill of power and satisfaction shook his soul to know that
he had not yielded nor undone all." (*Portrait of the Artist
as a Young Man*, tud. 176.)

I 'nabod mo'm synhwyrau na'm grasau braint
  i ddim.
Mae ton 'nol ton yn dyfod, yn codi o hyd i'r lan,
Yn drysu pob rhinweddau ro'w'd yn fy enaid
  gwan;
Rwi'n methu chwilio fy hunan, rwi'n methu
  gwybod ble
Rwi'n mynd, neu beth wi'n wneuthur, neu sut
  mae yn y Ne.
O tan fath ofnau mawrion yn pwyso arna'i yn un,
Nid addas wyf i farnu, 'dwi'n nabod dim
  o'm hun;
Mae grym terfyscoedd pechod fel dyfroedd mawr
  ynghyd
Yn drysu fy synhwyrau ac yn eu twyllo i gyd."

Trwy'r holl ddisgrifiadau cywrain hyn o
brofiadau cyntaf llanc troedig fe glywir
acen ryw synwyrusrwydd cyfoethog, ehofn-
dra ac ofn, sicrwydd wedi amau, yn llanw
ac yn treio dros ei galon. Cyfeiriais at
James Joyce a'i baragraffau cyffelyb. Fe
ragflaenodd Williams ar y pethau rhyfeddaf
yn nofel Joyce, a hyd yn oed ei ffigurau
a'i arddull. Y peth syn yng nghelfyddyd
Pantycelyn yw ei ddawn i gyfleu'r cyffro
nerfus, y trai a'r llanw, yr iasau sydd
weithiau'n 'wenwyn melys' fel y dywed
un o'i frawddegau treiddiol, ac weithiau'n

          " reddf o faith barhad
Sy tan bob temtasiynau ynghadw i fore a hwyr "

ac felly, heb yn wybod i'r llanc, yn magu
ynddo ryw gryndod o falchter pêr, peryglus.

Deallodd Alethius y perygl:

> " Mae ynot ti ynghudd
> Elynion heb eu concro er iti gario'r dydd.
> Mae hunan-dyb a rhyfyg yn cydymnyddu
> 'nghudd
> Fel dafedd anweledig â holl ganghennau ffydd."

Dywedwyd mai'r beiau yn y cymeriad a oedd yn brif broblem y Seiat, a'r rheini yw testun rhybuddion Alethius. Gwelodd ef y cerddai Theomemphus ar yr unrhyw lwybr ag Abasis, o falchter i ddifaterwch ac o hynny i fydolrwydd. Medd Sante de Sanctis: "Ni ddaw'r gwir droedig (*il vero convertito*) fyth hyd at wrth-droedigaeth; ond hynny yw ei unig fraint."[1]

Graddol yw ei gwymp. Cymer dair blynedd i'w gwblhau. Y gofal hwn i ddangos rhan amser mewn profiadau yw un o nodweddion amlwg y gerdd. A gorfoledd yw'r cam cyntaf tuag at ei faglu. Haerwyd gynneu mai un yn byw ac yn ymnewid yw Theomemphus. Ond ni chyll ef ychwaith gysondeb ei natur. Llanc yw ef eto er ei droi. Megis mai ef oedd arwr ei fywyd o'r blaen, felly'n awr ef yw pen campwr ei fyd newydd:

> " Mae mil yn dy ryfeddu, 'does fawr yn dy gashau,
> Mae myrdd yn gweld dy rinwedd 'does neb yn
> gweld dy fai."

[1] De Sanctis : op. cit., tud. 170.

Ni wn i am un rhan o waith Pantycelyn
sy'n newyddach mewn llenyddiaeth Gym-
raeg na'r penillion a ddisgrifia wrthgiliad
Theomemphus a chyflymder cynyddol ei
lithro. Dywedodd yr awdur: " Y mae'r
cwbl yn ddieithr yn y ilyfr hwn "; ond gan
nad oedd ei wybodaeth ef o lên Cymru yn
ddofn, o fraidd y deallodd ef ei hun lwyred
y dieithrwch. Diau bod y cyfan yn ddihaf-
al; ond eisioes yn y *Cysegrlan Fuchedd* ac
mewn llithoedd eraill o'r *Llyfr Ancr* a sgrif-
ennwyd yn y bedwaredd ganrif ar ddeg,
cafwyd traethodau rhyddiaith a bwynt-
iai o leiaf i gyfeiriad y rhan gyntaf a'r
drydedd ran o *Theomemphus*, sef y rhannau
a drin garwriaeth Duw a dyn. Ond cael
geiriau i fynegi ymnyddiad cymhleth gras
a natur mewn enaid, dangos, hyd yn oed
yn oriau heulwen ddihalog, rith haen
halogrwydd yn ymledu'n anweledig denau
dros wybren gwynfyd, a'r niwlen honno'n
llechwrus raddol yn duo a dyfnhau, oni
ddelo'n y diwedd, heb eu hamau ddim,
fwrllwch a chaddug a storm, dyna gamp
ail ran y gerdd. Yma'n arbennig yr
elwodd Williams ar y pedair blynedd ar
hugain y bu'n cadw Seiat ac yn holi prof-
iadau. Gwyddor y Seiat, *Drws y Society
Profiad*, a esbonia sicrwydd yr afael ar
wibiadau troellog meddwl dyn. Dyma
ddawn y 'stiward', yn 'adnabod dirgel
ffyrdd temtasiynau' megis yr adnebydd y

'ffowler leoedd y petris'—Williams ar ei
eithaf gorau ac yn gwbl mewn cyfrwysedd
a grym. Y mae'r penillion cyntaf a
ddengys Theomemphus

"Yn hedeg ar adenydd ysgafnaf adain ffydd,"

eisioes yn llawn arwyddion perygl ei bro-
fedigaethau:

"Hwy'n llechu yn ei galon mewn dirgel fannau
    ynghudd
Ynghonglau bach adenydd ei gariad ef a'i
    ffydd."

A cheir yn y terfyn un o'r penillion mwyaf
ystormus mewn Cymraeg:

"Ond ambell waedd gynddeiriog fel temestl o fwg
    O ganol pair cauedig yn berwi o chwantau
        drwg
    A ro'i, o rym euogrwydd yn screch ystormus
        fawr;
    Ac eilwaith hi gai ei chauad tan rwymau fyth
        i lawr."

Pe gofynnid imi ddethol pennill a fyddai'n
enghraifft o angerdd arddull Pantycelyn,
o'i ddawn priodol ef nas ceir gan neb
bardd arall, dyma'n dra thebyg y pennill a
ddewiswn.

Y bardd eneidegol sy'n ddigymar yn y
penodau hyn, bardd greddf a nwyd a
synnwyr a'u drysni hwynt. Ac os rhag-
flaenodd Williams yn hanes troedigaeth

Theomemphus ar ddarganfodau gwyddon-
iaeth ddiweddar, yn y rhan hon fe'i amlyga'i
hun yn etifedd gwyddoniaeth ymholiad y
cyfrinwyr Catholig. Rhoes y rheini bwys
ar yr hyn y gellir ei alw'n 'gyfundrefn y
nwydau', syniad nid annhebyg i eiddo
Jung am y libido, sef y crynswth o
ddyheadau ac egnïon dyn. Gwelsom y
sylw a roes Williams i wrthryfel y nwydau
a'r atalnwydau, a'r fel y dinistria hynny
unoliaeth amcan bywyd. Fe'i dinistria
oherwydd mai cyfundrefn organig yw'r
nwydau, nid nifer o rannau annibynnol yn
y meddwl y gellir eu bodloni bob un ar ei
ben ei hun. Felly tuedd dyn yw tawelu
terfysg drwy droi'r nwydau oll i un cyfeiriad,
neu o leiaf eu troi tuag at wrthrychau a
fo'n gydnaws â'i gilydd, y naill nwyd yn
dilyn y llall megis ton ar ôl ton o'r un
môr, yn llanw oll i'r unrhyw lan, ond yn
torri ar amryw draethau mewn amryfal
gilfachau. Felly pan ddechreuodd Theo-
memphus ymfalchïo yng ngorfoledd ei
droedigaeth ni bu'n ohir nad enynnodd
balchter ryfyg, a rhyfyg hyder cnawdol, a
hyder ragrith, a rhagrith ddifrawder, a
difrawder fydolrwydd ac anlladrwydd:

" Nes daeth rhyw genllif ddiluw o nwydau megis
    tân
  Y rhai nas cas e'w profi ers amser hir o'r bla'n ;
  Y cnawd, y byd, y cythraul, yn gydsain gang
    gytun. . . .

Blys bwydydd, blys diodydd, segurdod a phob
chwant.
Cas nwydau a thrachwantau trwy hyder
gnawdol le
Yn yr ewyllys hyfryd y trigodd Brenin ne' . . .

A chwmwl du ar gwmwl rhwng Theomemph
a Duw."

Ond rhaid darllen y penodau ar eu hyd er
mwyn deall mor gyfrwys raddol a chyson
y tyf y cymylau hyn, ac mor gampus yw
dadansoddiad y bardd. A'r peth dramatig
yn yr holl olygfa hon, y peth a deimlir
megis presenoldeb, yw absenoldeb Alethius.
Trwy'r cwbl nis enwir ef, ef sy'n anhepgor
i'r bywyd ysbrydol, athro celfyddyd ymwyb-
od. Ers tro bellach fe wingodd Theomem-
phus yn erbyn swmbwl y Seiat. Ni allai
balchter mo'i oddef:

" Dy fath paham cwestiwnir? Ti wyddost lawer
mwy,
Ti brofaist ac a welaist laweroedd fwy na hwy."

Ac yn naturiol, y cam nesaf wedi ymwrthod
â chyffes yw ymwrthod ag ymholiad:

" Fe ffodd hunan ymholiad cyweiria maes o'i le
Yr hwn oedd yn cyfrwyddo pob cam o lwybrau'r
Ne."

Mwyach ymbalfala yn niwl diymwybod, a
hwnnw'n tresbasu'n eofn ar ffiniau cyfoeth
y goleuni. Trwy ei holl waith fe rygna
Williams yn ddiflin ar yr egwyddor hon.

Pechu yn ei athrawiaeth ef yw colli angerdd ymwybod, rhodio yn nhywyllwch ac anhrefn natur yn hytrach nag yng ngoleuni celfyddyd gras. Teyrnas y tywyllwch yw cylchoedd cyffredin cymdeithas, y byd, a bywyd y dyn cyffredin a difarddoniaeth. Ymrydd Theomemphus i'r bywyd hwnnw. Cais olud a chysur a mwyniant arferol dynion. Yn ei dro, megis Abasis yntau, cais wraig, ond gwraig ag arian ganddi. A dyma'r unig adeg y mae ef yn gwbl ddirmygus. Cofier mai llanc yw, ac un naturiol nwydus. Bod un fel ef yn troi'n Mr. Bydol-Ddoethyn a llywodraethu nwyd rhyw er mwyn amcanion call ac oerllyd, dyna yw ei isaf cwymp. Y peth hyllaf mewn bywyd yw llanc call a bydol ac yn feistr ar ei nwydau.

Ond daw iddo siom ac aflwyddiant yn ei yrfa fydol. Dwg siom yn ei thro anesmwythyd, a'i daflu'n ôl yn sydyn i olygu ei weithredoedd a'i gyflwr. Paham y methodd yn ei gynlluniau? Paham y dilynai methiant ef megis tynged? Felly, yn ddiarwybod iddo, a thrwy fyr amynedd llanc, daw'n ôl iddo ymholiad, ymholiad sy'n oleuni Duw:

> " Goleuni sydd yn gyrru'r tywyllwch du i ffoi,
> Goleuni sydd yn rhannu cymylau'r nos yn
> ddau. . . .
> Fe oleuodd pob rhyw gornel, fe chwiliodd pob
> rhyw gell."

Dyna gychwyn adferiad. Gwelodd golli
ohono nid llwyddiant bydol yn unig, ond
ei afael yn Nuw. Brawychodd. Mewn
munud fe ysgubodd ei bleserau lawer o'i
gof, a throi i chwilio am ei wir Gariad. A
cheir yma enghraifft arbennig o'r dawn
dramatig sydd yn *Theomemphus* a hefyd o
sicrwydd treiddiol eneideg y bardd. Canys
yn awr adferiad y llanc, yn adeg ei ail-droi
at Dduw a dwyn yn ôl eto ei wynfyd,
mynn Williams ddangos bod hyd yn oed
dull ei droi, method gras yn ei edfryd, yn
sicrhau y daw iddo drachefn ar ôl hyn
dramgwydd gwrthgiliadau. Canys er ffoi
ei demtasiynau:

" Hwy ffoisant gan mor danbaid oedd y goleuni
    pur
  I ryw gornelau tywyll, fel gallent cyn bo
    hir
  Pan gwelent le cyfaddas, neb yn eu disgwyl
    hwy,
  I ddod i maes drachefn a gwneuthur anrhaith
    mwy."

Yma y ceir ail ymson fawr Theomemphus.
Daw un ymson o'r fath ym mhob rhan
o'r gân, yn ganolbwynt pob act o ddrama'i
einioes. Darllenasom y gyntaf yn adeg ei
argyhoeddiad ar ôl ail bregeth Boanerges.
Dyma'r ail. Yn y bennod nesaf cawn
ddarllen y drydedd hithau yn awr y
cyfyngder gwaethaf. Nid difwriad mo hyn.
Rhan hanfodol yw o gynllun artistig y

gwaith, yn arwydd o bwysigrwydd ym-
holiad nid yn unig ym mywyd dyn ond
ym method barddonol Pantycelyn.   Cân yn
ymrwymo'n organig o gwmpas tair act
drylwyr o holi enaid yw *Theomemphus*.
Dyna hefyd yw rhythm bywyd artist yn
ôl Pantycelyn.   Oherwydd hynny y mae
Theomemphus yn gymaint campwaith, gan
fod ffurf y gân yn gystal â'i thestun yn
codi allan o ddyfnaf amgyffred y bardd ei
hun.

  Ond i'r gwrthgiliwr nid yw ymholiad yn
ddiberygl.   Yn rhy eglur fe ddeall Theo-
memphus iddo golli cymundeb â Duw.
Poerodd ar burdeb ei ddyweddïad.   Hal-
ogodd lendid ei serch.   Pa obaith a all
fod iddo am faddeuant?   Nid oes ond
cymylau dudew rhyngddo a Duw.   Yn
ddiau, melltith sydd arno ac ar y dydd
y ganed ef

> " Na thywynned arno oleu haul, lloer, na ser y
>   nen,
>   Ac na foed un discleirdeb mewn awyr las
>   uwchben;
>   Yn fellt boed, yn daranau, yn wban trwyddo
>   o'r bron,
>   Am yrru gŵr heb obaith pryd hynny i'r ddaear
>   hon."

Gŵr heb obaith?   Anobaith yw ffos olaf
balchter dyn.   Yno yn unig y try cariad
o'r diwedd yn atgasedd ac yn her.   Yn

angerdd erchyll ei hiraeth a'i unigrwydd
troes Theomemphus i ddamnio Duw:

" A chabledd ar ol cabledd yn dirwyn yn ei hynt,
  Taranau, mellt, a chenllysg, a stormydd poeth
    o wynt.
  Nes prin y gallai atal rhag gwaeddi yn groch
    i ma's
  Ryw screch yn erbyn Iesu, ryw screch yn
    erbyn gras;
  Ei law rodd ar ei enau, fe attaliodd dweud yn
    awr
  Y gair mwya cableddus tu yma i uffern
    fawr."

Balchter sydd yma wedi ei glwyfo i'r byw,
yn clywed ei Ddyweddi ei hun yn ei
gondemnio, ac yntau am hynny yn ei herio.
Llethwyd Theomemphus. Ciliodd i unigedd
coedwig. Clywai bob dim a grewyd fel
bytheiaid y nef yn ymlid ar ei ôl:

" Y ddaear yn ei erlid, y nef yn pallu ei llaw,
  Llu uffern yn ei gornio tu yma a thu draw."

Ac yna fe'i diarfogwyd ac fe'i noethwyd.
Hyder, ehofndra, balchter llanc, tynnwyd
hwynt bob yn un ac un oddi amdano.
Lloriwyd ei enaid llamsachus. Gwthiwyd
ef hyd yn oed o ffos anobaith, a'i adael
i grïo fel plentyn am ei dad:

" O Dduw yn lle ffieiddio, ble bynnag byddo'r lle,
  Rho ryw funudau o garu Gwaredwr mawr y
    Ne."

Ac felly yr adferwyd Theomemphus. Fe
ymwaghaodd:

> " Na 'ffrostia f'enaid bellach, na 'ymddiried yn
>   dy rym,
>   'Dyw gras ohono'i hunan dy ddal yn abl ddim."

Yn y creisis hwn y terfynwyd ei lencyndod.
Yn y bennod nesaf y dyn cyflawn ei faintioli
a geir. Ei ddiogelwch mwyach am dymor
a fydd ei ymwybod effro:

> " Mae ei ras, mae ei gydwybod, a'i nwydau,
>   'nawr yn fyw."

Ni all uffern mo'i demtio ag unrhyw
wrthrych. Ei braw nesaf fydd llony-
ddwch.

VII

AMOR SPONSI

AETH angerdd llencyndod heibio. Llaesodd
y synwyrusrwydd crynedig, poeth a'r
brwydrau. Wedi ei fwrw'n ddihangol o'r
diwedd dros y rhaeadrau cynnar, llithrodd
cwch einioes i afon ddyfnach, lonyddach
blynyddoedd gŵr. Y mae'r afael ar y llyw
yn llacach yn awr, ni raid ofni'r cerrynt.
Gellir gorffwys beth a gadael y cludo i'r
afon:

> " Ei gwsc ddaeth yn ddiwybod, dim ond wrth
>   ddiofalhau;
> Daw hepian o segurdod, daw cyscu o drymhau;
> Pan y darfyddo gofid ac ymdrech maith y dydd
> Y farwaidd nos yn arwain i gwsc ddidrafferth
>   sydd."

Dyna gwrs cyffredin bywyd pan elo llanc
i oed gŵr, ac ysfa'r troedig yn ymdoddi'n
gymedroldeb. Amser yw unig orchfygwr
ieuenctid. Dyd lwydni ar ei wrid a
phyla'i danbeidrwydd. Gwelsom eisioes y
rhan effeithiol sydd iddo yn syniadau
Williams. Y tro hwn, er mwyn cyfleu'r

syniad am dreigl blynyddoedd, ceir inter-
liwd go faith a Miltonaidd yn disgrifio
senedd uffern ac ymddiddan y cythreuliaid
ynghylch dyfodol Theomemphus, interliwd
sy'n enghraifft arall o fedrusrwydd cynllun
y gerdd.

Ond y llanc yw tad y dyn. I'r neb a
brofodd fywyd nid ffarwelio ag ieuenctid
sy'n chwerw, eithr gorfod dwyn baich llenc-
yndod tra pharhao einioes. Nid oes newid
gwreiddiol ar nemor neb wedi iddo basio
llencyndod, ond trwy gydol ei ddyddiau
erys profiadau'r llanc yn iau anorfod.
Dysgodd Theomemphus hynny. Ei ym-
wneud ef â Duw a fu'n brif gyfranc ei
lencyndod; ac yn awr yn oed gŵr, wedi
dyfod yr adeg iddo briodi a chodi teulu,
daeth rhyngddo a chyflawni'r gorchwyl
naturiol hwnnw yr hen godymu â chariad
rhyfeddach. Tra chiliai ei lencyndod a
thymheru ei sêl dduwiol, daeth yn ôl iddo
ddyheadau cynhenid ei fod:

" Roedd caru wyneb siriol a charu gruddiau glân
  Heb eto eu diwreiddio o'i galon ef yn lân."

Merch o'r enw Philomela a ddug ei galon.
Carodd hi nid â gorffwylledd sydyn llanc,
ond ag araf a disigl ddyhead gŵr:

" Mewn ffordd ledradaidd ryfedd ennynodd
    ynddo'r tân,—
  Nid felly concrodd cariad e' brydiau rai o'r
    bla'n."

Peth rhannol yw serch llanc, nwyd rhyw yn syml. Cynnyrch ei holl bersonoliaeth yw serch gŵr, holl nwydau ei natur yn ymglymu wrth y gwrthrych:

" Fy chwaer, 'be Theomemphus, anwylaf yn y byd
Sydd yn fy llwyr fodloni yr awron trwyddi gyd;
Nid cig a gwaed wi'n garu, ond fel mae cig a gwaed
Oddeutu'r enaid hwnnw sydd annwyl gan fy Nhad."

Ni wad ef garu ohono gig a gwaed, ond gyda'i chorff hi fe gâr hefyd ei meddwl a'i hysbryd. Dyna'r serch a gyfyd yn awr i ornest olaf â chariad Duw, ac felly i benderfynu am byth ffawd Theomemphus.

Y mae yma ddau beth i'w dilyn, dau beth sy'n un yn y gerdd, ond y mae'n rhaid i feirniadaeth er mwyn eu deall eu trin ar wahân. Y rheini yw athrawiaeth Pantycelyn am briodas, a drama bywyd Theomemphus. Cyn ymosod arnynt dylid dweud gair yn gyntaf i amddiffyn cymeriad Williams ei hun rhag y beirniaid hynny a'i cyhuddodd o ddiffyg dynoliaeth.[1] Amlwg yw na allai awdur y rhan gyntaf o *Theomemphus* fod yn ddyn oerllyd, dideimlad. Ni ddywedaf mai Williams yw Theomemphus. Ond yn ei galon ei hun y dargenfydd pob bardd hadau a phosibilrwydd ei greadigaethau,

[1] Cytuna W. J. Gruffydd â Gwilym Hiraethog i gondemnio'r rhan hon o *Theomemphus,* ac am resymau cyffelyb.

ac yn sicr fe geir yn y gerdd hon ddisgrifiad o nodweddion a oedd yn rhan o gymeriad Williams. Digon o braw o hynny yw manyldeb ei eneideg. Gwelsom eisioes ei ddirmyg o eunuchiaid. Yn bendant nid eunuch mohono ef. "Ei dymherau oeddynt yn o boethlyd" meddai Charles o'r Bala. Llefarwn yn blaenach na hynny: yr oedd yn gnawdol dros ben y cyffredin o ddynion. I'r dyn claear ei nwydau, *l'homme moyen sensuel*, tlysni wyneb merch a'i ffurf osgeiddig yw ei swyn. Pan sonio Williams am harddwch corff benyw, ar gyflawnder mynwes a phertrwydd troed y dotia ef, ac un a wybu dynfa'r rheini a sgrifennodd mewn dwyster siom:

> " Fe wywa ei mynwes gyflawn, fe baid rhygyngfa
> ei thro'd."

O throes Theomemphus yn y diwedd oddiwrth ferched, nid oblegid Piwritaniaeth annynol y bu hynny. Cawn weld paham ymhen ychydig. Digon yw dweud yma fod Williams yn ŵr priod pan sgrifennodd ef y gân. Bu iddo bump o blant a bu ei fywyd teuluol hyd y gellir gwybod yn ddidramgwydd. I fardd fel ef nid bechan o gamp oedd hynny. Y mae'n ddadl dros wrando ohonom ar ei ddysgeidiaeth.

Ni ellir ychwaith ddeall y rhan hon o *Theomemphus* ar ei phen ei hun. Gyda hi rhaid darllen y *Gerdd Newydd am Briodas*

(1762) ac yn arbennig y *Ductor Nuptiarum neu Gyfarwyddwr Priodas* (1777), sef un arall o nofelau byrion Williams ar ffurf dialog. Yn y llyfr rhyddiaith hwn y ceir ei ddysg ef am natur ac amcanion priodas, ac arwr y llyfr, y carwr cywir a'r priod dedwydd, yw'r un un ag a rwystrodd briodi Theomemphus a Philomela yn *Theomemphus*, sef yr Alethius "a oedd yn gweddïo yn y cynulleidfaoedd, yn holi ac yn cateceisio." Gwelir felly mor agos yw perthynas y llyfr i gân *Theomemphus*.

Egwyddor gyntaf Williams yw'r athrawiaeth eglur Gristnogol fod gwyryfdod yn uwch cyflwr na phriodas. Ond i'r ychydig y perthyn gwyryfdod. Y mae priodas hithau'n sagrafen, hithau'n alwedigaeth. Ei hamcanion yw geni plant, diddanwch teuluaidd, a gochelyd rhag godineb y rhai ni chawsant "ddawn diweirdeb". Ystyr gochelyd rhag godineb yw troi nwyd rhyw i sianel foesol a'i ddyrchafu. Ffurf ar odineb yw priodi er mwyn serch. Er codi teulu, magu plant, sylfaenu aelwyd, a thrwy hynny droi byw yn gymundeb, y dylid priodi. Yn stori Martha yn y *Ductor Nuptiarum* ceir helynt gwraig a briododd er mwyn serch. Prin y mae'n rhyfedd syrthio nofelau Williams i gymaint angof, ni sgrifennwyd erioed mewn Cymraeg ddim mor chwerw onest â hwy. Disgrifia Martha

y dull y swynwyd hi gyntaf gan ei gŵr a'r
modd y dug ef ei chalon :

"Y pryd hyny efe oedd blodeuyn pob cwmpeini;
arno yr oedd llygaid holl ferched pen-weinion y
wlad; a minnau'n eiddigeddu rhag iddo garu neb
ond myfi. . . . A phan treuliem ni ddiwrnod neu
ddau heb weled ein gilydd, ni a fyddem yn ennyn
yn danllwyth o chwant i ddyfod ynghyd drachefn;
ac mi feddyliais mai felly y parhai hi byth ; ac nad
oedd priodas ddim arall ond dau ddyn yn ymrwymo
i ymgofleidio ac ymfawrhau ac yfed trachwantau
natur."

Y peth tra gwerthfawr yn yr hanes hwn
a hefyd yn hanes caru Theomemphus a
Philomela yw mai ynddynt y ceir am y tro
cyntaf mewn llenyddiaeth nid portread yn
unig eithr dadansoddiad beirniadol a deffin-
iad o serch rhamantus. A hyn sy'n rhyfedd,
bod y bardd rhamantus cyntaf hwn yn
gwybod am holl swyn serch rhamantus, yn
cydymdeimlo'n ddigon ag ef i fedru ei
ddisgrifio yn ei angerdd, ac felly'n rhoi bod
i fath newydd o ganu mewn Cymraeg, ac er
hynny oll ei fod hefyd, oblegid ei athrylith
grefyddol a'i afael ar Gristnogaeth, yn gorffen
gan gondemnio'r serch rhamantus yn gyfan-
gwbl, a'i gondemnio ym mysg rhesymau
eraill oblegid mai gwrthgymdeithasol yw :

"Ti oeraist at yr Eglwys pan dwymaist ati hi."

Dywedwyd eisioes mai Alethius yw'r cymer-
iad mwyaf eglwysig a greodd Pantycelyn.

Y mae'n dra awgrymiadol mai wrth drin
serch rhamantus yr enwir *eglwys* gyntaf
yn *Theomemphus,* ac yng ngenau Alethius y
rhoddwyd y gair.

Hanfod serch rhamantus yw'r syniad
bod gwerth serch ynddo'i hun. Nid yw
priodas namyn cydnabod y gwerth hwnnw
a'i reoleiddio:

> " Pwy bellach luddias modrwy i natur fynd
> ymla'n?"

Diau bod gwahaniaeth rhwng caru Theo-
memphus a charu Martha yn y *Ductor
Nuptiarum.* Disgrifir caru Theomemphus
yn ei wres a'i afiaith. Gwedi ei didwyllo
y dadansodda Martha ei serch hi. Ym-
falchïa Theomemphus ym mharchusrwydd
ei serch, a'r ymfalchïo hwn yw gwir arwydd
ei anlladrwydd:

> " Mi cerais megis gwyryf ddiweiriaf un yn fyw. .
> Ond gwyryf mi a'i gadewais, ni cheisiais mo'i
> mwynhau."

Y mae Martha yn ei didwylliad yn greulon
onest tuag ati ei hun ac yn iachach ei
meddwl na Theomemphus:

> " *Mary :* A gadwasoch rhag myned yn warad-
> wyddus yn y fath amgylchiadau anllad?
> *Martha :* I olwg y byd dall felly, o'r braidd; y
> rhai nad yw yn edrych ar bechod nes byddo mewn
> gweithred; ond nid dim gwell oeddem ni o flaen
> Duw na'r rhai fuasai euog i radd waethaf; canys yr
> oeddem yn berwi cymaint i fyny mewn chwant fel
> nas gwn i hyd y dydd hwn pa fodd na buasai ffrwyth
> ein hamcanion yn ymddangos i'r byd."

Y peth gwych yn eneideg Williams yw ei welediad diffael. Dengys, er pob gwahaniaeth ar yr wyneb, mai unrhyw yw serch Martha a Theomemphus. Neidiodd hithau megis yntau, a megis Abasis gynt, " o gariad yr Arglwydd i garu cig a gwaed". Cnawdol yw'r serch rhamantus. Dywedwyd mai ei hanfod yw'r syniad bod ei werth ynddo'i hun. Nid yw'n gymdeithasol na moesol. Nid yw'n amodol. Yn hytrach y mae'n ddiamod, yn wynfyd digonol, annibynnol, a'i gyfiawnhad ynddo'i hun. A dyna feirniadaeth Williams arno. Yr unig serch diamod sy'n ddiogel, yr unig serch y galler ymroddi iddo er ei fwyn ei hun, yw serch at Dduw.

" Mae yma ddelw-addoliad "

ebr Williams. Hynny yw, y mae yma droi profiad meidrol, amodol, yn brofiad nas bernir wrth ei effeithiau. Trwy egni nwyd rhyw y cenhedlir plant a pharhau bywyd. Peth da ydyw. Ond pan anghofier yr amod hwn, a throi *mynegiant* greddf yn brif amcan bywyd, yna fe dry'r reddf yn berygl :

" Nad i ddirgelaidd deimlad a rowd yn natur dyn
    Tuag at genhedlu miloedd 'r un natur ag ei hun,
    Fod it yn bleser *mwyaf*; fe roddwyd hwn erioed
    I bob rhyw fath greadur sy'n trigo is y Rhod."[1]

[1] Dylid cydnabod bod ar Alethius ddyled drom am ei syniadau i'r angel yn *Paradise Lost*, pennod VIII, llinellau

Dengys hanes Martha beth yw peryglon serch diamod. Fe'i hŷs ei hun a'i ddifa:

" A thyma yr uffern o briodas wyf fi yr awr hon yn fwynhau. Fel hyn yr ydym heddyw yn byw yn anserchog, yn oer ac yn sych. . . . O dân uffernol cariad natur! Pa sawl myrdd o ferched glân fel finnau sydd yn wylo'r dagrau chwerwon am ddilyn eu chwant eu hunain yn lle meddwl Duw a'u rhieni. O ganlyniadau echryslawn sydd yn dyfod o briodi o wŷn natur, o serch at lendid . . . casineb, cyn-nenau, tor-priodasau, ac o bosibl mwrddrad yn y diwedd."

Onid hyn sy'n wir? Onid didwylliad yw terfyn sicr y serch rhamantus? Mewn bywyd, yr enghraifft enwog yw carwriaeth George Sand ac Alfred de Musset a fu'n destun dadansoddiad craff o ramantiaeth gan Charles Maurras.[2] Enghraifft mewn drama yw *Romeo and Juliet*. Dangosodd llawer beirniad nad trychineb i dosturio wrtho yw diwedd y trasiedi hwnnw, ond mai caredig ydyw. Y rheswm am hynny yw mai serch diamod a'i ddiben ynddo'i hun yw rhwymyn Romeo a Juliet. Trwy eu galanas gynnar cadwyd y serch hwnnw yn berffaith, yn ddisiom, mor bur a thragywydd â'r nef ei hun. Nid oes iddo

---

560–653. Gweler hefyd *Paradise Lost*, IX, 1161–1170, a X, 888–908. Yn ôl Milton, gwir bechod Adda oedd caru Efa'n ormod, ac am hynny, nid am dorri rheol yr afal, y gofidia Adda. Trasiedi serch yw 'Coll Gwynfa'.

² *Les Amants de Venise* gan C. Maurras.

berthynas â bywyd o'i gwmpas, na llyff-
ethair cyfrifoldeb. Mewn llenyddiaeth rhaid
i serch rhamantus droi naill ai'n drasiedi
neu'n ddychan. Odid y ceir mewn barddon-
iaeth gân serch a gymharo am dynerwch
â'r bumed bennod o *Inferno* Dante, ond
yn uffern y dyd y bardd Francesca a
Phaolo:—

"Amor condusse noi ad una morte,"—

praw, os oes rhaid, fod stori Theomemphus
a Philomela yn nhraddodiad y canu Crist-
nogol. Yn ôl Williams, nid ar serch y
dylid sylfaenu priodas, ond ar gariad sy'n
gymdeithasol, yn fagwrfa cyfrifoldeb ac
yn ffrwyth ymwybod:

" Rhwng nef a dae'r nid rhagor gwahân na rhwng
    y ddau."

Disgrifia Mary yn y *Ductor Nuptiarum*
garwriaeth Alethius:

" Fe roddodd imi amryw arwyddion o bur gariad,
cariad syml, cariad diragrith, mor hyfryd nad oedd
un o nwydau cig a gwaed yn cael lle i gynhesu, ac
eto yr oedd person dyn yn caru person dyn i'r radd
eithaf, caru dyn o egwyddorion ardderchocach nag
am ei fod yn gyfoethog ac yn anrhydeddus. O
Martha, Martha, dyma'r tro cyntaf y teimlais gariad
Duw a chariad dyn yn cyd-fflamio ar un waith i
fyny, heb un ohonynt yn diffodd y naill y llall."

Ac ebr Alethuis ei hun:

" Mae caru yn dda ac addas, ond tanllyd serch
nid yw."

Canys cynneddf ar serch yw na rydd ef gyfle i ymholiad. Cyffro a phendro yw, a chred ei ddeiliaid fod yn nryswch y teimladau y pryd hynny, yn ecstasi'r tywyllwch tanllyd, ryw ddatguddiad o ddwyfoldeb angerddol bywyd na ellir mo'i ddadansoddi na'i fynegi, ond sy'n sylwedd bod:

" Mae'n cloi dy holl synhwyrau, ac yn eu clymu'n un
A chadwyn adamantaidd, ddirgelaidd wrthi ei hun."

Beirniadaeth Alethius ar hynny yw mai bwystfilaidd ydyw:

" Pob bwystfil, pob anifail, pob hediad yn gytun
Yn hynny sy'n cael pleser yn gymwys megis dyn."

Canys gogoniant dyn ac egwyddor bywyd bardd yw ymwybod ac ymholi. Gwrthod y rheini yw darostwng dyn i'w bedwar troed, chwedl Voltaire am rai o syniadau Rousseau. Meddwdod y synhwyrau oedd hudoliaeth y sarff yng nghân *Lamia* gan Keats. Ond nodwedd gwir gariad yw trefn meddwl a ddwg ddeall

" A hunan glos ymholiad drachefn i'w eu lle."

Diau nad yw'r caru hwn na hawdd na chyffredin, ond ni ddywedodd Pantycelyn erioed mai peth hawdd yw cyrraedd llawnder personoliaeth dyn:

" Rhaid it, os hi yw'r cydmar, ro'dd Iesu iti fyw,
    Rhaid it roi iddi gariad yn natur dyn nad yw."

Beth gan hynny a ddaw o serch cnawd a
nwyd rhyw? A raid eu lladd a'u diwreiddio
o'n natur? Gwyddom ateb yr eneidegwyr:
nis gellir. Eu gwrthod yw eu troi'n atal-
nwyd yn y diymwybod, a magu hadau
gwallgofrwydd a drwg. Unfryd â hynny
yw ateb Pantycelyn:

" Hi aeth yn rhy ddiweddar, ni gymysgasom fwy
    Nag ellir fyth ein dadrys heb roi i'n synhwyrau
        glwy."

Dewr yn wir yw dull Williams o setlo'r
broblem hon. Fe ddywed yr eneidgwyr,
oni aller bodloni nwyd mewn modd naturiol,
gellir weithiau ei droi i sianel arall a'i
drosglwyddo ar wrthrych delfrydol, a thrwy
hynny ddwyn iechyd i'r meddwl. Y term
technegol am hynny yw dyrchafiad. Barn
Williams yw mai dyrchafu nwyd rhyw a
ddylid, a'i ganolbwyntio ar Dduw ei hun.
Y nwyd anifeilaidd hwn, prif swmbwl
bywyd dyn, ei chwant direol a lywia ei
feddwl boed gwsg boed effro, mewn breudd-
wyd neu fyfyrdod, hwn, medd Pantycelyn,
yw'r cyfrwng a ddwg ddyn at Dduw. Tra
ddylid caru gwraig â'r un cariad ag y
carodd Crist y byd, rhaid caru Duw â'r un
serch ag y câr y gwryw fenyw, a hynny a
ddwg iechyd i ddyn:

" Ti fynni'r cnawd a'r esgyrn a'r galon yn gytun."

Drwg Theomemphus oedd iddo garu Philo-
mela â serch na ddylai ond Duw fod yn
wrthrych iddo:

"Rhoi'r cariad hynny i lances berthynai oll i'm
Duw."

Nid yn y rhan yma o *Theomemphus* yn
unig y ceir gan Williams yr athrawiaeth
hon. Yr oedd yn gwbl eglur yn hanes
Abasis, a bydd iddi le amlwg yn ei hymnau
diweddarach, fel y dangosir yn y bennod
nesaf. Rhaid cofio hefyd fod y ddysg hon,
er ei dieithred ar yr olwg gyntaf, yn gyson
â syniadau'r hen ddiwinyddion oll. Fe'i
ceir gan Awstin; ac ebr Bonafentur am
Ffransis mewn geiriau mor feiddgar â dim
ym Mhantycelyn: "*Franciscus castravit se
et eunuchizavit propter regnum coelorum*".
Ac o safbwynt y gwyddonydd nid yw'n
amhosibl y gellir cyfiawnhau'r athrawiaeth,
a dangos ei bod yn diogelu bywyd rhywiol
ac yn arbed iechyd corff.

Dychwelwn at Theomemphus. Dangos-
odd Alethius iddo mai cnawdol oedd ei
serch at Philomela. Ni fynnai ef dderbyn
hynny. Aeth ar ei ben ei hun o'r Seiat,
a chododd brwydr yn ei feddwl rhwng ei
serch a'r datguddiad cynhyrfus hwn. Troes
ei ing yn gân, a'r gân hon yw'r gân serch
ramantus gyntaf mewn Cymraeg. Mynych
y sonnir am Ddafydd ap Gwilym yn fardd

serch. Ond artist oedd Dafydd, ac yn artist y cân ef am ei gariadon. Nid ei deimladau sy'n bwysig ganddo, ond ei gywyddau. Diau na bu ganu iachach nag a ganodd ef. Nid oes ynddo na thywyllwch nwydau na phenbleth rhyw. Y mae ynddo angerdd, eithr angerdd y crefftwr, nid drysni synhwyrau:

> " Pan ddêl y Pasg a'r glasgoedd
> Bun a ddaw beunydd i oed.
> Yno y daw in y dydd
> A'i lonaid o lawenydd . . .
> Wybr eglur a môr briglas
> A llen gêl yn y llwyn glas,
> A lle anial a llannerch
> A changen feinwen o ferch,
> A gorffen cwbl o'm penyd
> A threio bâr a throi byd.''

Nid oes yma ddim morbidrwydd, na dim namyn enaid llon. Diau nad bardd cref-yddol yw Dafydd. Ond yn sicr bardd yw a fu byw yng nghanol traddodiadau cedyrn Cristnogaeth, fel nad oedd berygl iddo erioed *gymysgu* serch a chrefydd megis y gwna Theomemphus a beirdd ar ei ôl. Ebr Dafydd:

> " Dy grefydd, deg oreuferch,
> Y sydd wrthwyneb i serch.''

Dyna paham nad oes llygredd yng nghy-wyddau Dafydd ap Gwilym, er cymaint

ei fawl i bleser corff. Nid oes ynddo
dwyll. Gallai ddewis serch cnawdol yn
hytrach na serch dwyfol—onid yw Crist yn
drugarog?—ond ni allai am funud feddwl
bod serch at ferch yn alwad Duw. Gallai
ganmol 'crefydd y gwŷdd a'r gog' mewn
termau sy'n barodi digabledd o wasanaeth
yr offeren:

> " Afrlladen o ddeilen dda . . .
> A charegl nwyf a chariad."

Ond ni ddychmyga ef fod caregl nwyf
yn garegl gwaed Crist. Y didwylliad
hwn, y gwelediad clir, rhinweddau bardd
mewn cyfnod Cristnogol ydynt. Y rheswm
bod canu Dafydd yn iach yw ei fod,
er nad yn fardd crefyddol, eto'n fardd
Cristnogol.

Troer at gân Theomemphus. Yr ydys
mewn byd arall, byd sonedau mwyaf
ystormus Shakespeare neu *Modern Love*
George Meredith, byd y chwantau briwedig
sy'n destunau llenyddiaeth heddiw:

> " Och fi, rwi'n methu madael a'r dawel deg ei
>   phryd,
> Mae'n hawsach imi mado a'r cwbl yn y byd;
> Hi aeth yn rhy ddiweddar, ni gymysgasom
>   fwy
> Nag ellir fyth ein dadrys heb roi i'n synhwyrau
>   glwy;
> Dau ddyn yn ddiau gollir wrth ddiffodd y fath
>   dân,

Neu nid oes dim ond muriau a'n ceidw ar wahân.
'Feddyliais i cyn heddyw fod cariad y fath dân,
Ond tybiais fod pleserau oedd lawer pell o'i
    fla'n;
Tân yw, mi wela' heddyw, o fewn i natur dyn
Nad oes ymhlith y nwydau gyffelyb iddo ei
    hun.
Eiddigedd sy'n ei gwmpni fel Duwies fawr ei
    grym,
Sy'n difa ei pherchennog heb adael iddo ddim;
O na boed un gorchymyn yn fy erbyn i'w
    mwynhau!
Amhosib imi ddiffodd fath fflamau o dân didrai!
Ai cyfraith Duw neu ddynion, d'wed imi
    f'enaid, p'un
Sy'n atal cymdeithasu rhwng c'lonnau fyddo'n
    un?"

Ni ellir amau pwysigrwydd hyn. Acen y canu eneidegol diweddar a glywir. Nid peth tlws a sentimental megis ym mugeilgerddi Ceiriog yw'r serch hwn, ond un o bwerau natur, gwasgfa ar synnwyr ac ymennydd, angerdd dirdynnol rhyw. Y mae'n beth cwbl newydd mewn llenyddiaeth Gymraeg, a hyd at ein hoes ni yn beth ar ei ben ei hun.

Ond y mae'r canu hwn a'r caru hwn yn gwbl naturiol, yn ddi-Dduw. Nid oes ynddo le i Dduw, canys y mae serch ei hun yn Dduw yma. Y mae Williams, fe welir, o'r un farn a Freud am flaenoriaeth nwyd rhyw ar bob nwyd arall. Dyna a eglura feirniadaeth finiog Alethius. Ni ddeall Theomemphus ei gyflwr ei hun. Fe gred, gan gryfed ei serch, mai galwad ddwyfol yw. Y rhagrith difwriad hwn yw dichell natur yn mynnu ei ffordd, a chelfyddyd y Seiat yn unig a fedr ddatguddio'r brad. Gwedi ei ddadrithio y mae'r ffordd yn agored i ddatblygiad yr act olaf yn nrama Theomemphus.

Rhennir yr act olaf hon yn dair rhan, a phob rhan yn gam angenrheidiol yng ngyrfa'r arwr. Yn y rhan gyntaf cais wrthod datguddiad Alethius. Er mwyn heddwch ei feddwl fe fynn ei wrthod:

" Nis mynn, nis gall, ni anturia er seraph nac er sant,
Er colli nef a daear, roi Philomel i bant.
'Nawr wedi adeiladu rhyw dŵr o gariad mawr
Mae'n gant trueni eilwaith i dynnu hwnnw i lawr."

Ond oherwydd amlygu natur ei serch iddo, ni all yntau ei gadw o'i ymwybod. Nid yw ceisio'i wrthod na dadlau yn ei erbyn ond yn ei selio fwyfwy ar ei feddwl ac yn arwain i'r ail gam, sef argyhoeddiad. Ystyr argyhoeddiad, fe welsom o'r blaen, yw dwyn ymdrech meddwl yn llwyr i'r ymwybod a thrwy hynny ddwyshau'r ing. Eithr y tro hwn nid brwydr rhwng nwydau croes i'w gilydd a geir, ond brwydr rhwng mynegiant naturiol nwyd drwy gariad at Philomela a'i fynegiant dyrchafedig drwy ymserchu yn Nuw. Gyda dyfod argyhoeddiad daw'n ôl hefyd ymholiad.

Ymrydd Theomemphus eto i'r hen gelf-
yddyd lem o ddiagnosis ysbrydol, a chawn
ei drydedd fyfyrdraeth fawr.

Sentimentalwch yw lloches serch cnawd-
ol, ac mewn sentimentalwch fe nytha twyll:

> " Mwy twyll mewn serch mae'n debig sy pan fo
> mwya' ei rym."

Lleddir sentimentalwch gan ymholiad.
Gynneu ceisiodd Theomemphus ddadlau
siomiant Philomela o blaid parhad ei
serch:

> " Dau ddyn yn ddiau gollir wrth ddiffod y fath
> dân."

Bellach fe ŵyr ei dwyll, a'r unig gam â
Philomela yw'r cam a wnaethpwyd eisioes:

> " Mi fwrddrais, ac a leddais a gerais fwya erio'd;
> Yn lle ei hadeiladu, ei swcro a'i chryfhau,
> Ni wnaethum ond ei denu i waered a'i gwanhau."

Rhyfedd yw ei lymder yn awr yn torri ei
ddelwau. O'r blaen fe ymffrostiai yn ei
ddiweirdeb:

> " Ond gwyryf mi a'i gadewais, ni cheisiais mo'i
> mwynhau."

Weithian y mae'r ddelw honno hefyd yn
yfflon:

> " Puteindra sy yma hefyd ffieiddia erioed ei
> ryw."

Fe wêl yn eglur nad cariad yn mynd allan ohono'i hun a'i symbylodd erioed, ond nwyd yn deisyf ei flys:

> "A dwyn ei gras a'i synnwyr a'i doniau maith yn un,
> A chanolbwynt ohonynt fy ngwneuthur i fy hun."

Ni ddinoethodd hyd yn oed Bernard Shaw ffugion serch rhamantus mor llwyr nac mor arw â hyn.

Ond, o thaflodd ymholiad ei olau oer i ganol caddug tymhestlog ei serch, dieithrach na hynny y golau a gafwyd ar gariad Duw. Y Duw a adnabu Theomemphus yn nhroedigaeth ei lencyndod, un ydoedd yn arllwys llawenydd i'w galon feidrol ac ysig ef, Duw yn llawn haelioni a thiriondeb, a'i gariad yn torri ar y llanc yn frwd ac yn afradlon fel cariad llances:

> "Yn llifo yn anherfynol at wael syrthiedig ddyn."

Ond yn awr ac yn ddisymwth, yn ateb i osgo Theomemphus tuag at Philomela, fe ddangoswyd iddo gariad Duw yn dra gwahanol, wedi newid, addfedu, caledu ac ystyfnigo fel cariad priod. Magodd cariad hawl, a hawl eiddigedd, ac eiddigedd angerdd a oedd greulon yn ei raib:

" Ti fynni'r cnawd a'r esgyrn a'r galon yn
   gytun,
Rhaid iti gael y cyfan neu ynteu ddim o'r
   dyn;
'Does dim fod is yr wyben mewn cariad ac
   mewn bri
O fewn i'r serch neu'r galon i daflo â thydi."

Daeth dychryn ar Theomemphus, braw syn
ac aruthr. Gweld y cariad a fuasai gynt
fel afon lonydd y gellid chwarae ynddi ac
ar ei glennydd, yn troi'n sydyn yn llif
ymchwyddog, yn llydanu, yn cyflymu, yn
ysgubo, yn gafael yng nghwch brau ei
fywyd a'i ddwyn mewn rhuthr a chryndod
a chorwynt i ffwrdd oddiwrth bob glan,
ymhell o gyrraedd a golwg pob hen gynefin,
ymaith i fôr di-draeth unigrwydd ofnadwy,
anfesuradwy calon y Duwdod ei hun.
Nid rhyfedd iddo ofni na chrynu, tynnu
â'i holl gyhyrau yn erbyn y don anfeidrol
a oedd ar fedr ei gipio. Nid i bawb, ebr
y Santes Teresa, y daw'r alwad hon yn y
bywyd hwn. Ac ychydig flynyddoedd yn
ôl, wedi iddo ddarllen gweithiau Teresa,
gweddïodd llenor ifanc yn Ffrainc â thaerni
arswyd : " Fy Nuw, cadw fi rhag temtasiwn
santeiddrwydd. Ni pherthyn hynny i mi.
Bydd fodlon ar y bywyd amyneddgar,
dihalog y ceisiaf ei fyw. Na ddwg oddi-
wrthyf y pleserau tyner a adwaen, a gerais
gymaint. Yr wyf i'n briod, yn dad, ac yn
llenor. Na themtia fi â phethau amhosibl.

Nac arwain fi i ormod gwasgfa."[1] Yr un
yn awr yw dychryn Theomemphus. Canys
ni ellir mwyach gamddeall yr alwad a
ddaeth iddo, yr alwad enbyd i fod yn
sant, i redeg gyrfa'r cyfrinydd. Canys
hynny, medd gwyddonwyr, yw troedigaeth
gyfriniol, nid dyrchafiad nwyd rhyw yn
unig megis yn nhroedigaeth llanc, ond
troi'r libido cyfan, crynswth y greddfau,
a'u trosglwyddo hwynt yn derfynol ar
Dduw.[2] Un a ddiddyfnwyd yn gwbl
oddiwrth holl flysiau a phleserau byd yw'r
cyfrinydd. Yn ei droedigaeth ef nwyd
rhyw yn ddiau yw canolfan yr ymdrech,
ond gyda'r nwyd hwnnw fe ddyrchefir holl
egnïon ei natur. I Dduw yn unig y bydd
byw mwyach.

Deallodd Theomemphus. Gwelodd fod
ar fin diflannu oddiwrtho bob mwyniant
dynol, pob diddanwch hawddgar. O'r
braidd na thorrodd ei galon. Cofiwn y
fath un ydoedd, y bardd yr oedd pethau
synhwyrus yn gymaint maeth iddo. Rhai
felly yn unig yw'r cyfrinwyr mawr, rhai o
gryfach nwydau a chyfoethocach syn-
hwyrau na'r rhelyw o ddynion, rhai a
wir fedr garu cnawd a phethau daear
yn angerddol. Ac eisioes fe glyw Theo-
memphus y cwbl hyn yn llithro oddiwrtho.

---

[1] Jacques Rivière. Dyfynnwyd gan F. Mauriac yn ei
lyfr, *Le Tourment de Jacques Rivière*, 1926, tud. 126.

[2] Thouless, op. cit., tud. 212.

Brysia i ganu'n iach, a chwerwder hiraeth
yn ei lais:

  " Ffarwel anwylaf faesydd, rhaid i chwi 'mado
     gid,
    Mi'ch cerais, mi'ch hwsmonais, mi'ch trefnais
     yn fy mryd ;
    Mi gollais wrth eich trefnu, a'ch cymryd yn fy
     nghôl,
    Fwy nag ddwg llongau'r India hyd ddiwedd
     byd yn ôl.
    Ffarwel danteithion melys a'r gloyw hyfryd
     win,
    Yn nyddiau fy ngwrthgiliad rois ormod wrth
     fy min ;
    Ffarwel y palas hyfryd a'r gerddi teg eu lliw,
    Gwaharddwyd im bleseru mewn dim is nen
     ond Duw.
    Mi golla wrth 'mado a Philo fy holl bleserau
     o'u bron,
    Aed ffwrdd bob pleser arall os rhaid anghofio
     hon ;
    Bydd ynw'i wagle wedyn, ac nid oes tan y Nef
    Ond hoeliwyd ar y groesbren ei hun a'i lleinw
     ef.''

A hyd yn oed yn awr nid yw'r ymdrech
ar ben. Ni all ef eto *ewyllysio* ffarwelio.
Y mae'n ormod iddo. Eisoes yn y diym-
wybod fe setlwyd y frwydr. Y mae Duw
wedi ennill. Ond ni ŵyr Theomemphus
hynny. Ni fedr oddef y peth yn ei ymwyb-
od. Nid aeth ef at Philomela i ganu'n
iach. Rhaid wrth ryw swmbwl ychwaneg
cyn y daw hynny. A daw hynny iddo yn
y diwedd yn ei gwsg, wedi blino ohono ar

bob brwydro. Breuddwydiodd iddo gly-
wed llais:

"Yr Arglwydd dy Dduw a geri, 'be allu mawr
y Nef,"

ac ar unwaith wedi clywed y geiriau fe
ddeffroes a chael y dewis wedi ei gyflawni,
ac yntau ar gefn y don, ymhell oddiwrth
bob chwant cnawd.[1]

Ni ddaeth iddo eto lawenydd y cyfrinydd.
Daw hynny maes o law. Nid oes yn awr
ond blinder a thristwch gŵr a ddioddefodd
ac a lethwyd gan ei ing. Y mae'n farw
bellach i'r ddaear. Nid oes ond lliw tranc
yn gysgod ar bob byw:

"Tyred bellach Philomela. . . .
Rho dy law a thyred allan,
Rhodiwn yn ddiniwed iawn
Rhwng y beddau tan fyfyrio
O foreuddydd hyd brynhawn.

Ni wna'th degwch mwy im' niwed
Os oes tegwch yn dy wedd;
Rwyf yn portreadu'th wyneb
Fel bydd obry yn y bedd.
Bydd di briod, bydd di weddw,
Bydd yn briod yn y man,
A boed saith o wŷr 'n olynol
Gael dy degwch bryd i'w rhan;
Mi ni fydda'i yn un ohonynt,
Ni fydd arna'i chwant i fod
Tan awdurdod y fath bleser
Tra fo seren ar y rhod."

[1] Cymharer yn fanwl ddadansoddiad Thouless o ddiwedd
troedigaeth Awstin Sant, op. cit., tud. 200.

Ar derfyn y gân hon fe sgrifennodd Williams :

"Diwedd y Gân Ymadewiad."

Ond dyma'n wir ddiwedd *Theomemphus.* Canys yn y gân ffarwel fe aeth profiad Theomemphus yn un â phrofiad Williams Pantycelyn, a pharheir y gân ffarwel, a pharheir *Theomemphus*, yn llyfr nesaf y bardd, sy'n dangos yn ei deitl y cyswllt agos sy rhyngddynt : *Ffarwel Weledig, Groesaw Anweledig Bethau.*

VIII

FFORDD YR UNO

FEL y digwyddodd hi, fe gyhoeddwyd rhan gyntaf *Ffarwel Weledig* ychydig fisoedd cyn Theomemphus. Canys wedi iddo sgrifennu'r *Gan Ymadewiad* fe gyfansoddodd Williams res o emynau â chyflymder ac â thanbeidrwydd telynegol y tu hwnt i ddim a wybuasai ef gynt yn ei fyw. Ynddynt hwy y cwblheir hanes Theomemphus, sy mwyach yn un â hanes Pantycelyn ei hun. Buasai'n dda pe deallasai'r bardd hynny, a therfynu *Theomemphus* cyn andwyo cyfanrwydd ei waith. Ond amcanasai ar y cychwyn olrhain gyrfa ei arwr i'r pen, heb iawn ddeall ple'r oedd y pen; felly fe ymlwybrodd ymlaen er iddo drosglwyddo'i awch i'r emynau newydd,— enghraifft o'i ddiffyg beirniadaeth. Ni ddylai hynny guddio oddiwrthym y gamp a gyflawnwyd yn *Theomemphus*. Hyd at derfyn y *Gan Ymadewiad* y mae'n ddifwlch a chrwn. Nid oes ynddo un rhan afraid

nac un interliwd na newid cywair nad
yw'n hanfod yn y cynllun ac yn cyfoethogi'n
hamgyffred ni o berson Theomemphus.
Un mefl sy'n bennaf arno, sef cymeriad
Duw. Esiampl Milton, ond odid, a hudodd
Williams i roi Duw yn berson yn ei gân.
Truan o Dduw ydyw, cynnyrch Calfiniaeth
fasaf y Piwritaniaid Seisnig. Eto, nid
hynny yw ei fai barddonol. Nid yw hynny
o safbwynt barddoniaeth yn fai o gwbl.
Bu duwiau gwael yn symbylau barddon-
iaeth wych, ac nid bai ar gerdd yw heresi.
Y bai barddonol yw bod y Duw a draetha'i
feddwl ei hun yn *Theomemphus*, fel *dramatis
persona*, yn gwbl anghyson â'r Duw a
ddatguddir gan Efangelius a chan Theomem-
phus yn ei brofiadau. Nid Duw Pantycelyn
mohono, ac yn y rhannau y llefair Duw
ynddynt fe gollir am dro unoliaeth fewnol
y gerdd; a hynny oherwydd bod diwin-
yddiaeth ffurfiol Williams, a amlygir yn y
rhannau hyn, yn llwyr groes i dybiaethau
ei eneideg a'i brofiad, ac yntau heb wynebu'r
anghysondeb. Y Duw a lefair ei hun yn
Theomemphus, un ydyw sy'n gwbl y tu allan
i'w greadigaeth, yn ei symud heb symud
ynddi. Nid dyna Dduw profiad Theomem-
phus na Duw *Ffarwel Weledig*. Wrth iddo
edrych i'w galon ei hun, unig faes ei
gyfarwyddyd, traethodd Williams wirion-
eddau am Dduw a oedd gysonach â
phroses troedigaethau Theomemphus. Diau

mai yn emynau'r cyfnod olaf y deuwn atynt yn awr y datguddir inni'n llawn ac yn deilwng syniad Pantycelyn am Dduw.

Mewn cyfresi neu secwensiau y cyfan-soddwyd emynau *Ffarwel Weledig* a *Gloria in Excelsis*, a rhaid derbyn pob secwens yn un gerdd, nid yn nifer o hymnau annibynnol. Hawdd dosbarthu'r cyfresi, gan fod newid mesur fel rheol yn arwydd dechrau rhes newydd a meddwl newydd. Ceir bod yn y ddau lyfr nid ychydig o ail-adrodd syniadau a rhygnu ar yr unrhyw ffigurau ac yn aml ar yr unrhyw linellau. Ond pan gofier bod ynddynt dros bedwar cant o emynau, y peth syn yw eu bod o'r cyntaf i'r olaf yn dal eu gafael ynom ac yn mynnu eu darllen lawer gwaith. Ni ellir esgeuluso dim. Sgrifennai Williams yn wyllt ac ag amhwylledd ysbrydoliaeth ddihysbydd. Rhaid ei astudio'n fanwl araf, o achos bod yn ei delynegion ystôr o ddatgudd-iadau profiad a phelydr golau treiddiol i natur dyn. Diogel yw ei le ym mysg y beirdd hynny a ddarllenodd yn ddwfn yn nirgelion calon. Eglurir cuddiad ei gryfder a chyfoeth ei awen yn y pennill hwn :

" Chwilia, f'enaid, gyrau'th galon,
Chwilia'r llwybrau maith o'u bron,
Chwilia bob rhyw stafell ddirgel
Sydd o fewn i gonglau hon."

Dyna ei gri ar hyd ei waith, ac fel bardd fe gafodd ei wobr ; gellir ei ddarllen i'r pen.

Canu cyfriniol a geir yn *Ffarwel Weledig* a *Gloria in Excelsis*, gwaith un a gychwynnodd ar ffordd yr uno— "ac ynddi y derbynnir y Priodfab". Epithalamion eglur y briodas ysbrydol yw'r cyfresi cyntaf yn *Ffarwel Weledig*. Edrych y bardd yn ôl ar y brwydrau olaf cyn ei droedigaeth gyfriniol, a chyfeddyf :

> " Mi ge's goncwest heb ddymuno " . . .

> " O fy anfodd
> Dest a'm beiau tan fy nhraed. . . ."

Daeth terfyn ar garu gwrthrych daear er bod

> " Ei gruddiau fel rhosynau a'i bronnau'n lliain main."

Canys

> " Wyneb dyn sydd yn salwino,
> Ynfyd yw a gâr ei wedd."

Ceir llawer atsain o'r *Gan Ymadewiad:*

> " Ffarwel, ffarwel oll wi'n weled,
> Oll sydd ar y ddae'r yn fyw . . .
> Rhof ffarwel i'r holl greadigaeth,
> Ffarwel faesydd gwych eu rhyw,
> Ffarwel deiau teg yr olwg,
> Ffarwel ddynion gorau'n fyw." . . .

Ond y dyhead a droesai gynt at wyneb dyn, at ryw Philomela yn ei brofiad ei hun, fe'i trosglwyddodd Williams yn awr ar briod arall, a gweld ar ruddiau hwnnw, yn anfarwol mwy, y rhosynnau a wywasai yng ngwedd pob cariad cnawd:

" Gwyn a gwridog yw fy Arglwydd,
Gwyn a gwridog yw ei wedd,
Brenin y brenhinoedd ydyw
Yma a thu draw i'r bedd;
Mae dy degwch
Wedi'm hennill ar dy ôl. . . .

Y mae gwedd dy wyneb grasol
Yn rhagori lawer iawn
Ar bob peth a welodd llygad
Ar hyd wyneb daear lawn;
Rhosyn Saron,
Ti yw tegwch nef y nef."

Yng ngwynfyd llesmair ei serch, a chan gofio nesed y bu'r fodrwy i fys Philomela, fe ddywed y bardd:

" Tydi wi'n briodi; dy gael di dy hun
Wna'm holl ddymuniadau i yn gyflawn bob un."

Hyfryd yn awr yw'r ymollwng i freichiau'r Anwylyd:

" Yn ei fynwes
Mae fy naear i a'm nef."

Yn y penillion tra rhyfedd hyn clywir acen profiad sy mor gyfrin eofn fel y clywaf i wrth ei ddilyn ryw swildod fel pe bawn yn tresbasu ar dir rhyfeddod. Bu mynych siarad gan rai am a elwir yn 'emynau cnawdol' Pantycelyn. Yr ateb i'r rheini yw: *honi soit qui mal y pense*. I rai na phrofasant a brofodd Williams, na wybuant erioed na'i uffern ef na'i nef, na'i ymdrechion ingol na'i wobr anhraethadwy, diau mai cnawdol a goreofn yr ymddengys y penillion hyn. Diau hefyd mai cnawdolrwydd a bair eu canu gan ddynion na ddeallasant y llymder a oedd y tu ôl iddynt na'u lle ym mywyd Pantycelyn. Ond i'r ychydig a ŵyr ddilyn yn barchus o hirbell anturiaethau dewraf dynion, a ŵyr yn anad dim i ba ddibenion anhygoel y lluniwyd ein cnawd, fe berthyn emynau olaf Williams, ei 'emynau cnawdol', i'r un dosbarth â hymnau Jacopone da Todi a'r Sant Ieuan y Groes, sef dosbarth clasuron barddoniaeth gyfriniol.

Canys dyma awr meddwdod Williams. Daw oriau eraill ac yn ebrwydd. Dyma orig ei wynfyd, ei ail droedigaeth nad oes sôn amdani ond yn ei ganeuon ei hun. Ni threthwyd ei awen erioed o'r blaen gan ddim tebyg i lewyg ysbrydol yr awr hon, yr ectasi a fu'n wobr ei ymwacád terfynol. Daeth arno'n ddisyfyd:

" Fe'm llyncwyd i fyny mewn syndod i gyd,"

ac â'i wynt yn ei ddwrn y bloesg orfoledda:

" D'ardderchowgrwydd
Barodd im' ddod ar dy ôl. . . .
Mae'n ardderchog,
Eto annwyl yw i mi."

Wedi'r datguddio hwn aeth ffarwelio â
chnawd a byd yn chwerthinllyd hawdd, a
chlywir tinc dirmyg diamynedd yn ei
gyfeiriadau atynt:

> " Swn a siarad
> Yw'r gogoniant tan yr haul."

Nid hynny'n unig; aeth haul a daear eu
hunain yn ddifater ganddo, a gallai'n
dawel wylio eu tranc:

> "Aed y greadigaeth faith i'w bedd,
> Mae'n well i mi na cholli'th hedd."

Bellach cafodd serch ei briod wrthrych,
serch diamod a diberthynas y gellir ymroddi
iddo o lwyrfryd bodd, ymgolli, ymsuddo:

> "Gyrrwch fi i eitha tywyllwch
> Tu hwnt i derfyn oll sy'n bod,
> I ryw wagle dudew anial
> Na fu creadur ynddo erio'd;
> Hapus, hapus
> Fydda'i yno gyda thi."

Ymddiddan poeth, difyfyr y dyweddi
nwydwyllt sydd yn y penillion hyn. Hoff
ganddo hyd yn oed gyfaddef ei hen an-
ffyddlondebau, oherwydd yn awr yr ymuno
daw atgof am ysgariad i felysu'n rhyfedd
yr ymlonni brwd:

> " Ti'm cofleidiaist yn dy freichiau,
> Minnau es at eilunod cas."

Ond aeth y serch dwyfol yn rhy gryf iddo.
Tynnodd ef â rhaff dair cainc:

> " 'Rwyt ti'n drech na'm calon galed,
> 'Rwyt ti'n drech na'm pechod cas;
> Ti wnai i'm hannwyl chwant a minnau
> Pryd y mynnost gwympo maes."

Un cariad sicr a fydd iddo mwy; ni all
Duw ei hunan wadu ei sadrwydd:

> " 'Rwy'n dy garu, ti a'i gwyddost."

Od oes diffyg o gwbl ar ei serch, nid diffyg
ymroddiad mohono. Mentra herio holl
wybodaeth Duw i brofi hynny, a beiddgar
iawn yw ei sialens:

> " Os nad wi'n dy garu'n gywir
> F'anwybodaeth yw i gyd;
> Chwilia gonglau maith fy nghalon,
> Pa le arall mae fy mryd?
> 'Rwi'n apelio
> I'th wybodaeth fawr dy hun."

Ni ddihysbyddir cyfoeth ei brofiad gan y
dialog hwn. Rhaid ei feddiannu'n llwyrach
ym mhob gwedd arno, a thry Williams nid
yn unig i'w fwynhau, eithr ei ddeall hefyd,
ei ddal yn ei agweddau deallol ac eneidegol,
a thrwy hynny ei brofi'n ddwysach. Edrych
yn ôl ar ei yrfa, ei holl wibio a'i wingo, ac
ebr ef:

> " Rhyw anifail wyf, heb ddeall."

Sylla eilwaith i'w galon ac adnebydd yno
drylwyred ei gnawdolrwydd a'i ddaear-
oldeb:

> " Llwch wyf fi, o'r llwch y daethum,
>   Pryf yw 'mrawd, y ddae'r yw 'mam;
> Etto 'rwyf fi'n 'mofyn teyrnas
>   Ddisigledig, bur, ddi-nam;
>   Pryf y ddaear,
>   A ddaw hwnnw mewn i'r nef? "

Ei ateb yw darfod llunio'r nwydau sydd
ynddo, ei reddfau cnawd, i'w bodloni gan
serch dwyfol. Ys gwir mai cnawdol ydynt,
a'u tuedd naturiol yw ymdroi at gnawd
a ddaear:

> " Aml yw gwrthrychau teimlad,
>   Agos ynt i'm natur wan."

Ond ni all gwrthrychau teimlad eu gwir
ddiwallu. Creant chwant mwy o hyd, ac
am hynny bythol a newynllyd ddyheu
mewn anwadalwch ac oriogrwydd fyddai eu
tynged naturiol, uffern ddibaidd y cnawd.
Daw dyrchafiad y nwydau at Dduw i'w
gwaredu oddiwrth eu hingau anniwall:

> " Mi grwydraswn
> Rhwng gwag ddelwau on' bai ti."

Dyna'r arwydd fod y llwch y perthyn dyn
iddo yn llwch tyngedfenedig:

> " Ni wnaed yr enaid hwn erioed
>   I garu llwch y llawr " . . .

" Fe row'd imi ddymuniadau
    Nad oes dim o fewn y byd
  Yn y dwyrain a'r gorllewin
    Ag all hanner lanw 'mryd ;
      Tragwyddoldeb,
    Yno llenwir fi yn llawn."

Neidia'i ddychymyg yn hyderus i'w uno â'r
Duwdod nid yn unig mewn cymundeb, ond
mewn anian a hawl :

  " Rhan o'th natur
  Yw wi'n deimlo ynw'i fy hun."

Am hynny diogel yw ei dynged, a darlunnir
ei apotheosis yn y pennill mwyaf Platonaidd
a gyfansoddodd Pantycelyn :

  " Anian nef a dyr trwy rwystrau,
    Anian nef a dyr trwy'r tân ;
  Ceidw ei gyrfa trwy'r creadur
    At ei gwreiddyn pur ymla'n,
      Heibio i degwch
    At y tegwch pur ei hun."

Anaml y ceisiodd Williams gyffredinoli ei
brofiadau na'u mynegi mewn termau athron-
iaeth ; ond yn awr, yn ei droedigaeth
gyfriniol, fe ddaw hynny'n gyfrodedd â'i
benillion mwy teimladol, gan eu tymheru
a'u diogelu, a throi'r cyfan yn farddoniaeth
ddilwgr ac iach. Yn wir, yn y cyfnod hwn,
y peth newyddaf yn ei arddull yw'r elfen
athronyddol hon, a'i swyddogaeth hi yw
puro fwyfwy ei gariad, rhoi iddo weledigaeth

a fo'n fwyfwy dwyfol, troi ei fywyd ei hun
yn symbol o bosibilrwydd y natur ddynol.[1]
Canys cyrraedd ei gariad at Dduw, ei nod
uchaf, mi dybiaf, pan droer ef yn llawenydd
esthetig, nid mwyach oblegid ei berthynas
ef â Duw na'i wynfyd ynddo, ond yn
syml oherwydd bod Duw, a'i fodolaeth yn
annibynnol ac ymddigonol, yn rhydd a
chyflawn ynddo'i hun:

" Llawen wyf i fod dy hanfod
    Fawr, yn ddedwydd ynddo'i hun,
Ac na raid iti ymddiried
    Mewn creadur un rhyw lun " . . .

" Dy hanfod berffaith yw'm hapuswydd."

Dyna lawenydd esthetig: llawenydd a
ddeillia o gyngreddf seml, gweledigaeth bur
heb ddyhead yn aflonyddu arni, y cyflwr
meddwl uchaf y gall person ymgyrraedd
ato.

Eithr mewn gwyddoniaeth yn hytrach
nag athroniaeth yr ymhyfrydai Pantycelyn;
a defnyddia dermau eneideg yn rhwyddach
na thermau metaffyseg i ddisgrifio'i droed-
igaeth gyfriniol.

Dyrchafiad yr holl nwydau at Dduw, eu
perchenogi ganddo a'u llwyr feddiannu,

---

[1] Gwelir felly y cam a wneir â Williams drwy ei farnu yn
ôl detholiadau llyfrau emynau, sy'n dewis yr emynau
teimlad gan eu tynnu allan o'u lle a'u cyfres. I farnu
Williams, rhaid ei drin fel beirdd eraill a darllen y cwbl
ohono.

hynny yw, eu santeiddio, dyna destun ei ddadansoddiad:

" Perchnogodd ef a'i ddwyfol ras
   Fy holl serchiadau'n un;
Na chaed o fewn i'm hysbryd fod
   Neb ond fy Iesu ei hun.

O, cymmer fy serchiadau i'n glau,
   Fy Iesu, bob yr un,
A gwna hwy yn eisteddfod bur
   Sancteiddiaf it' dy hun.

A gwna bob meddwl a phob chwant
   I dynnu fyny fry
Nas gwthio holl derfysgau'r byd
   Fi maes o'th gariad cu.

A doed deniadau'r byd yn lli
   O'r dwyrain faith a'r de,
Ni thry fy serch i fyth yn ôl
   Er neb o ganol ne'."

Diddorol yw sylwi ar duedd Williams, bob tro y daw rhaid arno ddadansoddi ei brofiad yn fanwl ofalus, i ddychwelyd at y mesur syml a thawel hwn. Y peth campus yn y penillion hyn yw bod geirfa dechnegol eneideg y bardd yn gyfrwng mor hyfedr i fynegi dwyster ei brofiad. Ni ellid hynny onibai mai cynneddf ar feddwl Williams, dull cyson ei ymwybod a'i ddeall, yw ymholiad eneidegol. Bardd gwyddonol yw ef hyd yn oed yng nghanol ecstasi'r sant. A'r hyn a rydd fri arbennig arno fel dysgawdr a doethor, a'i dyd ef yn ymyl

Goethe fel athro ysbryd, yw bod ei gyfrin-
iaeth, pa arwed bynnag y bo,—ac ni
wadaf i ei llymder na'i harswyd—eto'n
dwyn nodau'r parch llwyraf i gyfanrwydd
personoliaeth dyn. Ni eilw ef ar neb pwy
bynnag i ymwadu â rhan o'i natur, i ladd y
cnawd er mwyn mawrhau'r ysbryd, na
mynd i ryw nefoedd anafedig drwy new-
ynu'r greddfau. Galwad am gyfanrwydd
yw galwad Pantycelyn. Rhaid i'r cnawd
hefyd wrth ei hawliau a'r nwydau oll eu
bodloni yn Nuw:

> " Fy nymuniadau i gyd
> Sy'n cael atebiad llawn,
> A'm holl serchiadau i 'nghyd
> Hyfrydwch nefol iawn."

Ac er mai seirff yw'r nwydau ac yn ddieflig
atgas:

> " Seirph, gwiberod glas gwenwynig
> Yw fy nwydau aml ri,"

eto, ganddynt hwy y mae allweddau teyrnas
nefoedd:

> " Rho fy nwydau fel cantorion
> Oll yn chwarau eu bysedd cun
> Ar y delyn sydd yn seinio
> Enw Iesu mawr ei hun."

Ond sylwer: eisoes dacw'r hyn a ddig-
wyddodd, a brofwyd yn nhroedigaeth y

cyfrinydd, wedi troi'n destun gweddi ac yn
beth i ymbil amdano:

> " O, sancteiddia f'enaid, Arglwydd,
>   Ym mhob nwyd ac ym mhob dawn."

Felly y mae hi. Nid yw'r profiad cyfriniol
yn agor drws ar lwybr dibryder a sicr.
Rhaid wrth wyliadwriaeth ac egni dibaid
i gadw'r bryd ar Dduw. Concwest ddyddiol
yw bywyd y cyfrinydd:

> " Ddoe mi syrthiais, 'nawr 'rwy'n syrthio,
>   Syrthiaf eto yn y man . . ."

> " 'Does gyflwr fyth bw'i ynddo'n byw
>   Na fedra'i ddiangc ar fy Nuw."

Efallai mai yn y cyfnod hwn, a chariad at
Dduw yn ddisigl yn y cymeriad, ei ewyllys
yn ymwthio'n ddibetrus tuag at Dduw,
y dargenfydd Williams ac y datguddir
ganddo'n llawn ddyfnder naturiaeth dyn
a'r gamp yw gyrfa ysbrydol. Canys croes i
natur yw troi byw yn yrfa, croes i natur
yw rhoi disgyblaeth ac unoliaeth celfyddyd
yn iau ar oriogrwydd cynhenid cig a gwaed.

> " Cwbl groes i natur
>   Yw fy llwybur yn y byd,"

meddai Ann Griffiths, ac ebr Williams
yntau:

> " Pob egwyddor yn fy enaid
>   Beunydd sydd am fynd ymhell . . .

Tueddiadau drwg fy natur
  Sy'n rhoi i fy ofnau rym,
On' bai'r twyll sydd yn fy ewyllys
  Ni wnai'm ofnau imi ddim."

Twyll yn yr ewyllys! Hyd yn oed yn yr ewyllys a unwyd gyda Duw. Nid rhyfedd iddo weddio o hyd am sefydlogrwydd, am barhad, un o destunau cyson y cyfnod hwn. Nefoedd iddo ef yn awr yw'r cyflwr y pery ymroddiad yn ddiŵyro ynddo a'r ewyllys yn ddidwyll, nid gorffwysfa ond egni anwasgaredig. A gwych yw gweld Williams yn awr, yng nghanol ei ddyddiau, yn gymaint campwr ag y bu erioed, yn ymddisgyblu, yn ei arfer ei hun, yn ymroi o newydd i burdan y sant ac yn cychwyn ar gwrs newydd yn ei yrfa.

Canys hynny sydd yma. Gan Sant Catrin o Genofa yr eglurwyd swyddogaeth Purdan mewn diwinyddiaeth Gristnogol yn ddeniadol.[1] Yn ôl Catrin parhad yw'r Purdan y tu draw i'r bedd o'r ysgol buredigaeth a gychwynnwyd yn y bywyd hwn. Nid cosb mohono na dioddefaint y condemnir enaid iddo. Yn hytrach yr enaid ei hun o lwyrfryd calon, yn awr y weledigaeth a ganiateir iddo yn angau, o ddeall maint santeiddrwydd y Dwyfol a'i dynged yntau, a ymdeifl yn orawenus i boenau Purdan.

---

[1] Von Hügel: *The Mystical Element of Religion.* Yn arbennig I, tud. 283–294, a II, tud. 230–246.

Y llawenydd tebycaf i lawenydd y nef, ebr
Catrin, yw llawenydd eneidiau ym mhurdan,
a thry poen yno'n llawenydd oblegid mai act
gwirfodd enaid cadwedig ydyw, o gariad at
ddihalogrwydd Duw yn ei goethi ei hun oni
lanhaer pob nwyd a llenwi'r cwbl gan serch
dwyfol.   Dyna   gnewyllyn   dysgeidiaeth
Catrin.   Yn anffodus magwyd Pantycelyn
mewn diwinyddiaeth a grebachwyd ac a
gollasai lawer o briodoleddau Cristnogaeth
gyflawn, a'r gred ym Mhurdan yn eu plith.
I'w lle daeth syniad ofergoelus am doriad
sydyn, gwyrthiol ar ddatblygiad dyn yn
angau.   Ni chollwyd y gred ym Mhurdan
yn gwbl.   Y mae hi o leiaf yn gynwysedig
yn bendant yn athrawiaeth Morgan Llwyd
a'i syniad ef nad yw enaid drwy angau ond
yn mynd "ymhellach i'w wlad", ac felly'n
parhau'r bywyd a'r ymburo a gychwynnwyd
yn y byd hwn.   Ond yn ei oes ef yng
Nghymru eithriad oedd Morgan Llwyd, ac
nid oes brawf ddarllen o Williams Panty-
celyn *Lyfr y Tri Aderyn*.

Daeth athrylith grefyddol Williams i
gyflenwi'r diffyg yn ei etifeddiaeth, a dat-
guddio iddo nid holl gyfoeth syniadau
Catrin, ond o leiaf sylwedd y ddysgeid-
iaeth am Burdan ac amgenach meddwl
am angau nag a ffynnai'n gyffredin ymysg
ei gyfoedion ac yn ei gyfnod.   Rhoes i
buredigaeth le hanfodol yn ei athrawiaeth
grefyddol, a dileodd y syniad gwarad-

wyddus am boen yn anffawd neu'n ddam-
wain y mae'n rhaid i'r Cristion ei oddef.
Sail ei ddysg yw'r ymwybod sicr o dwyll
ei natur, gwydnwch ei ymlyniad wrth
wrthrychau cnawd:

> " Myfi fy hunan yw fy mhla,
> Fy nghalon yw fy nghlwy,
> Ac yma mae llochesau drwg
> Cuddiedig fwy na mwy."

Dyna fyrdwn degau o benillion yn *Ffarwel
Weledig*. Mor wahanol ydyw i acen yr
Aleluia cynnar, ffrwyth ei droedigaeth llanc.
Yn *Aleluia* dyheasai am farw, am etifeddu'r
nefoedd yr oedd ganddo hawl mor ddiffuant
iddo. Bellach, fe ŵyr yn amgen, ac yn
herwydd ei wybod dyfnach fe ddiolch am
hir ddyddiau a phoen einioes. Gwelsom
yn *Theomemphus* fod y syniad am werth
amser yn un o'i egwyddorion eglur. Yn
Ffarwel Weledig datblygir yr ystyriaeth
hon yn helaeth:

> " Os rhaid imi gael blynyddau
>   O'r cystuddiau gwaetha eu rhyw. . . .
>
> Mi fodlona doed a ddelo
>   Os ca'i weld yr hapus awr
> Trwy ryw foddion crai neu chwerw
>   I fy mhechod fynd i lawr;
>   Digon boddlon
>   Congro bai trwy ddwyn y groes."

Gan hynny fe ewyllysia mwyach aros yn
y bywyd hwn a'i wae:

> " Yn y rhyfel mi arosa,
>   Yn y rhyfel mae fy lle,"

a bydd hyd yn oed hen ddyddiau a blino
yn gyfryngau ymburo:

> " Mi gaf deimlo chwant yn colli
>   Cyn yr elo'm haul i lawr,
> Mi gaf flino ar fy mhechod
>   Cyn y codo'r foreu wawr;
>   'Rwyf yn foddlon
>   Rhwng y saethau nes dêl dydd."

Dygymydd weithian â gŵyriadau ei nwy-
dau:

> " Gwaith y nefoedd yw dyoddef
>   Ynw'i nwydau croes eu rhyw. . . .
>   Goruchafiaeth
>   Fydd yn hyfryd pan y dêl."

Yn yr ysbryd hwn yr edrych ef ymlaen
at henaint a dihoeni, a gwêl y medrir troi
hynny oll a'i chwerwder yn rhan o'i ymddis-
gyblu.   Dyma'r penillion tebycaf o'r cwbl
i syniadau Catrin am natur Purdan:

> " Os daw gwradwydd, os daw gofid,
>   Trwy ragluniaeth bur fy Nuw,
> Hynny fyth ni ladd fy enaid,
>   Cadw 'nghalon wna fe'n friw;
>   Bydd ei fflangell
>   Yn y diwedd fel y gwin.

Os ar wely rhaid fy rhoddi
   Rywbryd yn y dyddiau ddaw
I gystuddiau nes bo'm brodyr
   Goreu oll yn cilio draw
      Mi ddof allan
   Fel yr aur y seithfed tro."

Ffrwyth y cwbl yw ei fod yn magu fel hyn gymeriad cyfan, personoliaeth nis gwasgerir gan oriogrwydd amcanion megis y dileir personoliaeth y cyffredin o ddynion. Mwyach tyf ei fywyd yn unedig a chrwn a gall honni'n ddiymhongar:

   " Ail natur heddiw im'
   Yw ymladd grym y don."

Y dull y megir y cymeriad hwn, proses ei buredigaeth, yw trwy ehangu ymwybod a datguddio fwyfwy ddirgelion ei natur, ac felly gwblhau ymholiad:

   " Mae fy nghroesau a'm cystuddiau
   Oll yn chwilio maes fy mai . . ."

   " Mi ga' weld dichellion lawer,
   Mi ga' weld uffernol dân
   Mewn llochesau yn fy nghalon
   Na chydnabum i o'r bla'n."

Santeiddrwydd yn ôl Williams yw cyflawnder ymwybod, y diymwybod wedi ei ddileu'n llwyr a'r cymeriad bellach

   " *Fel drych goleu* i dderbyn delw
   Holl santeiddrwydd pur fy Nuw."

Os cywir syniad yr eneidegwyr mai'r atalnwydau a gedwir o'r ymwybod yw achosion drysni ac ymraniad personoliaeth, yna odid nad yw disgrifiad Williams o santeiddrwydd nid yn unig yn gywir, eithr hefyd yn troi santeiddrwydd yn arbennig yn gyflwr o iechyd moesol a meddyliol. Santeiddrwydd perffaith yw bod yn rhydd o bob nefrosis ac atalnwyd; bod yn ddibechod yn syml iawn yw bod yn iach, camp uchaf meddwl dyn.

Troes Williams angau yn rhan o'r proses puredigaeth hwn. Peidiodd marw â bod iddo ef yn beth anghyffelyb i bob dim arall, yn torri yn ddiddisgwyl a dilywodraeth ar draws einioes gan chwalu bwriadau bywyd. Felly y buasai iddo gynt, yn arswyd dihafal ac unig, y gelyn olaf yn llechu mewn tywyllwch ac yn deyrn ar ddynoliaeth. Hyd yn oed yn rhan gyntaf *Ffarwel Weledig* (1763) yr oedd ofn marw, neu'n hytrach ofn marwolaeth, yn fyw iawn ynddo. Ceir llawer gweddi am nerth i'w wynebu:

> " Nid wi'n ofni tir y bywyd
>> Hwnnw, 'nghartre hyfryd yw;
> Ond 'rwi'n ofni yr agendor
>> Fawr sydd rhwng y marw a'r byw."

Ond fel y datblygodd ei amgyffred o burdan profiad cafodd angau yntau le yn ei fwriad. Troes yn rhan o'i buredigaeth:

" Mae'r corff o aflan wedd,
  Mae'r cnawd yn ffiaidd iawn,
Ar frys rhaid iddo fedd
  I'w sancteiddio'n llawn."

Yn lle bod marw yn rhywbeth i'w oddef a heb iddo ran o gwbl yng nghynllun dyn, fe'i meistrolir a'i orfodi i gydffurfio â holl amcan bywyd :

" Caiff angeu ei hunan i'm gwneuthur i'n rhydd."

A'i weddi bellach yw nid am gael dianc drwy angau yn sydyn a chyflym ac mor anymwybodol ohono ag y galler, eithr yn hytrach am gael ei brofi'n llwyr ac yn llawn, sugno pob maeth a fedrer ohono, ei leoli'n sefydlog yn system ei brofiadau :

" Edrych angeu yn ei wyneb,
  Ymhyfrydu yn y bedd."

Felly, gan fod marw yn rhan o boenau purdan enaid, try hefyd yn rhan o lawenydd purdan, yn destun gorfoledd :

" Fel y mêl gwnest groesau diried,
  Angeu haerllig dewr a'r bedd " . . .

" Ac mi gwela i'm yn bleser
  I gael gorwedd yn y bedd " . . .

" Pan bo angeu'n gorfoleddu
  Ac yn chwerthin ar y bedd."

Dyna ei fuddugoliaeth ar fywyd bellach yn gyflawn. Y mae'r cwbl, holl anhrefn ac achlysuroldeb profiad, damweiniau einioes a marwolaeth, oll dan iau amcan a chynllun, a'r bardd yn meddiannu ei fyd, ei feddiannu a'i ddefnyddio i gyfoethogi ei bersonoliaeth ei hun:

> " Mae'r byd a'r bedd, mae'r ddae'r a'r nen
> Yn tynnu'n siwrnai fach i ben."

O hyn ymlaen fe wêl berffeithrwydd einioes fwyfwy drwy'r ffigur o oleuni'n tyfu mewn tawelwch ac ehangder ac addfedrwydd, cysondeb diddamwain yn ei arwain ymlaen gan roddi iddo urddas unoliaeth gron:

> " O na welwn ddydd yn gwawrio,
> Boreu hyfryd tawel iawn,
> Haul yn codi heb un cwmmwl,
> Felly'n machlud y prydnawn:
> Un diwrnod
> Goleu eglur boed fy oes."

Na farned y darllenydd imi anghofio swydd efrydydd llên a thresbasu ar faes gwahanol y diwinyddion. Yma yr ydys yn trin pwnc hanfodol i feirniadaeth lenyddol bur. Gwelsom mai un o nod-weddion rhamantiaeth Pantycelyn yn ei gyfnod cynnar oedd ei unigoliaeth lwyr. Nid oedd i gymdeithas swyddogaeth o gwbl nac yn ei fywyd nac yn ei emynau. Bardd y profiad unig, diberthynas ydoedd.

Nid oedd gan y byd hwn ddim i gyfrannu i'w bersonoliaeth. Anialwch oedd y byd a gorau po gyntaf y croesid ef. Ar y manna nefol, achlysurol, goruwch-naturiol yr ymborthai'r pererin. Ni châi unrhyw faeth o'r anialwch diffrwyth a'i cwmpasai. Dyna nodwedd amlwg hymnau *Aleluia*. Yn *Ffarwel Weledig* a *Gloria in Excelsis*,—hon yw'r ffaith nodedig,—goresgynnodd Williams ei ramantiaeth a daeth yn bur agos i'r egwyddor glasurol Cymreig, ac fel y caf awgrymu'n llawnach yn y bennod olaf, fe ddangosodd un dull o leiaf y gellir eto ymgyrraedd at safbwynt glasurol fyw mewn llenyddiaeth. Y mae sylfaen clasuraeth newydd, ffrwythlon a dofn yn y cwpled a ddyfynnwyd:

> " Mae'r byd a'r bedd, mae'r ddae'r a'r nen
> Yn tynnu'm siwrnai fach i ben."

Y mae yma synthesis newydd. Rhydd i gymdeithas ac i ffeithiau ac amgylchiadau dynol orchwyl newydd ym mywyd y bardd. Gardd yw'r anialwch weithian, sy'n maethu personoliaeth yr unigolyn ac yn angenrheidiol i'w dwf. Dyna bwysigrwydd dysg Williams am buredigaeth. Aeth y cyfan o fywyd iddo yn beth perthnasol, moesol. Os 'ail natur heddiw im' yw ymladd grym y don', yna bu i'r don hithau, sef amgylchiadau a phrofiadau'r tu allan iddo, ran yn ffurfio'r natur honno. Y mae gwerth ynddynt, a gwerth gwrthrychol. Peidiodd y bardd a'i brofiadau goruwch-naturiol â bod yn unig sylweddau, ac aethant yn rhan o system o sylweddau yn perthyn bob un i'w gilydd ac yn ennill eu gwerth a chyflawnder eu bod oddiwrth ei gilydd ac oddiwrth eu perthynas i Dduw :

" Ofer imi weld y ddaear
　　Yn egino ei hegin grawn,
Ofer imi weld yr heulwen
　　Fawr yn estyn ei phrydnawn,
Ofer imi weld y blodau
　　Yn datguddio eu haneirif liw
Tra fo neb rhyw un creadur
　　Yn cysgodi gwedd fy Nuw.

Ofer imi gael cwmpeini
　　Hyfryd, llawen, addas, gwiw,
Ieuengctyd yn eu rhwysg a'u nwyfiant
　　Fel y blodau teca eu lliw :
Ni wna hyn ond torri 'nghalon
　　A fy nodi'n fwyfwy briw
Tra fo bryniau maith a dyrus
　　Rhyngof fi a hedd fy Nuw."

Dyna amgyffred perthynas ym mysg gwrthrychau sy'n nes na dim a gafwyd gynt gan Williams i egwyddorion beirniaid yr Oesoedd Canol yng Nghymru. Gwiw yw sylwi ar yr elfen o werthfawrogi sy'n y penillion hyn. Ac onid yw'n arwyddocaol ac yn cefnogi'r syniad hwn mai yn 1766 y dechreua Pantycelyn sgrifennu *Marwnadau?* Nid oes ond Marwnad Griffith Jones

Llanddowror yn gynharach. Trwy droi
profiad yn buredigaeth fe feddiannodd y
byd gwrthrychol.

Trwy'r datblygiadau hyn ni laesa un-
waith fwriad y cyfrinydd. Ei uno'i hun â
Duw, ymroddi iddo'n llwyrach beunydd heb
geisio "heddiw hawddfyd o un rhyw",
dyna yw ysgogiad meddwl Pantycelyn
fwyfwy'n awr. Wrth inni ddarllen drwy'r
rhannau olaf o *Ffarwel Weledig* a thrwy
Gloria in Excelsis fe glywn dyfu o'n cwm-
pas ddistawrwydd dwfn a dwys. Paid 'y
swn a'r siarad'. Â lleisiau'r byd o un i un
yn fud. Yr ydym yn clustfeinio i wrando
ar yr anhraethadwy:

> " Gwna ddistawrwydd ar ganiadau
> Cras afrywiog hen y byd,
> Diffodd dân cynddeiriog natur
> Sydd yn difa gras o hyd,
> Fel y gallwyf
> Glywed pur ganiadau'r nef.

Ac yn y distawrwydd try'r enaid at ei
Anwylyd:

> O, distewch gynddeiriog donnau
> Tra fwy'n gwrando llais y nef;
> Swn mwy hoff a swn mwy nefol
> Glywir yn ei eiriau ef:
> F'enaid, gwrando
> Lais tangnefedd pur a hedd."

" O llefara, addfwyn Iesu!
   Mae dy eiriau fel y gwin
Oll yn dwyn i mewn dangnefedd
   Ag sy o anfeidrol rin;
Mae holl leisiau'r greadigaeth,
   Holl ddeniadau cnawd a byd,
Wrth dy lais hyfrydaf tawel
   Yn distewi, a mynd yn fud."

Weithiau â'r gyfrinach mor ddofn a mewn-ol oni bo'r ffigur o lais tawel yn rhy gras. Ni cheir na llais na gair na sibrwd, na dim sydd o'r tu allan, ond yn unig uniad mewnol bryd a dyhead ym mywyd Duw:

" O na chawn ddifyru 'nyddiau
   Llwythog tan dy ddwyfol gro's,
A phob meddwl wedi ei glymu
   Wrth dy Berson ddydd a nos " . . .

    " Cael ymborthi
  Fyth ar sylwedd pur y Nef."

Aeth y distawrwydd megis gwaelod y môr, a rhydd fawredd anghyffwrdd ac ymchwydd i arddull llawer pennill:

" Mwy na therfysger f'enaid drud
   Gan rwysg a dwndwr gwag y byd;
Ond llyncir fi yn ddistaw iawn
   Yn y llawenydd sy'n parhau
   'N dragywydd heb na meth na thrai
Fel diluw cryf neu foroedd llawn."

Neu mewn ffigur gwahanol:

    " Mi ymguddiaf
  Yn ogfeydd tawela'r nef."

Tua'r diwedd daw'r gair 'tawelwch' yn
fynych iawn yn yr emynau, a dwg ar gof
inni rai o frawddegau dyfnion Morgan
Llwyd o Wynedd. Dyfnder yw nodwedd yr
hymnau hyn, a thawelwch nad yw'n odd-
efwch ond yn egni puraf, yn ewyllysio
diysgog. A dyfnder neu ddwyster yw
nodwedd arddull yr emynau. Perffeith-
iwyd meistrolaeth y bardd ar ei offeryn.
Trwy ei ymgodymu hir ag iaith a mydr
a chrefft y pennill rhydd, enillodd ystwyth-
der digymar mewn geirfa a ffigurau. Nid
oes fesur na fedro roi delw ei feddwl a'i
brofiad yn gwbl arno. Cymer ffigur neu
drosiad (a defnyddio gair Syr J. Morris
Jones am fetaffor) a'i droi'n symbol beichiog
o'i ddyhead a'i rwymo mewn mesur mor
gymwys a chyfan oni ddygo'r pennill ei
hun y ffigur i'w derfyn anorfod:

> " O na roi'r winwydden hyfryd
>   Beth o'i ffrwythau i lawenhau
> Enaid flinodd gan och'neidio,
>   Enaid flinodd gan dristau:
>   Deued bellach,
>   Deued blodau, deued haf."

Dyma'n ddiau un o nodweddion technegol
arbenicaf yr emynau diweddaraf, sef y
ddawn a ddangosir ynddynt mor fynych
i gyflawni meddwl mewn pennill, cyfuno'r
syniad a fynegir a'r ffurf a ddewisir mor
gwbl oni'n hargyhoedder ni mai un ydynt,

na ormeswyd ar y naill na'r llall, ond
eu cnydio'n gymhesur yng nghroth ysbryd-
oliaeth:

> " Mae meddwl am yr oriau pur
>   Ca'i rodio'r baradwysaidd dir
> Ac yfed pleser sy'n parhau
>   Mewn gwlad heb lewyrch haul na lloer
>   Na therfysg tir na thwrf y môr
> Yn fy rhoi'n awr i lawenhau."

Sylwn ar un peth arall: cyfoeth y trosiadau
neu'r metafforau. Nid trosiadau rhetoregol
ydynt, eithr symbolau yn addfedu mewn
myfyrdod ac yn casglu o'u cwmpas bentwr
o ystyron ac awgrymiadau. Manylir
arnynt, a thyfant. Yn aml ceir un ffigur
yn llenwi emyn cyfan, megis yn y gân
enwog:

> ' Pererin wyf mewn anial dir ',

neu yn y penillion a ganlyn:

> " Mi bellach goda ma's
>   Ar foreu glas y wawr
> I weld y blodau hardd
>   Sy 'ngardd fy Iesu mawr:
> Amrywiol ryw rasusau pur
> A ffrwythau'r baradwysaidd dir.
>
> O anghyffelyb flas!
>   O amrywioldeb liw!
> Hyfryda erioed a gad
>   Ar erddi gwlad fy Nuw!
> Hi Gilead fwyn a'i 'rhoglau pur
> Bereiddiodd awel Ganaan dir.

Mae'r pomgranadau pur,
  Mae'r peraroglau rhad,
Yn magu hiraeth cry
  Am hyfryd dŷ fy Nhad;
O Salem bur! O Sion wiw!
Fy nghartre i a chartre'm Duw."

Dyna un o funudau ysgeifn Pantycelyn, munud o ffansi bêr yng nghanol angerdd ei arddull ddiweddaraf. Ceir yr un method yn fynych yn ei ganiadau dwysach, a thanbeidrwydd ei feddwl yn crynhoi o gwmpas y ffigur bob gallu a chyfoeth ystyr:

" Nad fi adeiladu'n ysgafn
  Ar un sylfaen is y ne,
Na chymeryd craig i orffwys
  Tu yma i angeu yn dy le;
Ti fy Nuw, tra fw'i byw
Gaiff fod fy ngorffwysfa wiw.

Dyma'r maen syd dyn y gongl,
  Dyma'r garreg werthfawr bur
Gloddiwyd allan yn y bryniau,
  Bryniau tragwyddoldeb dir;
Nid oes le is y ne
I'w adeiladu ond efe."

Ni wn i am well enghraifft o egni creadigol mewn barddoniaeth na'r ddwy linell a italeiddiwyd: y meddwl drwy ddwys fyfyrio ar y ffigur cyntaf o 'faen', yn sydyn yn treiddio i holl gysylltiadau posibl y syniad, a darganfod y 'bryniau'. A cheir hyn yn

fynych gan Williams.[1]   Y mae olion dwyster
a grym ar holl waith y cyfnod olaf.   Ni
laesodd unwaith angerdd ei droedigaeth
gyfriniol.   Tyfodd yn hytrach mewn nerth.
Od aeth yn dawelach, aeth yn gryfach a
rhoes y tawelwch symlrwydd mawr, yn
ogystal ag amrywiaeth a chyfoeth ffigurau,
i lawer emyn.   Unwaith eto cyn tewi troes
Pantycelyn at y mesur symlaf er mwyn
mynegi ei brofiad terfynol, a hynny mewn
iaith gytbwys, araf, feichiog, cynnyrch oes
hir o ymarfer barddonol:

    " Rwy'n edrych dros y bryniau pell
       Am danat bob yr awr;
    Tyrd, fy anwylyd, mae'n hwyrhau
       A'm haul bron mynd i lawr.

    Trodd fy nghariadau i oll i gyd
       'Nawr yn anffyddlon im',
    Ond yr wyf finnau'n hyfryd glaf
       O gariad mwy ei rym.

    Cariad na 'nabu plant y llawr
       Mo'i rinwedd nac o'i ras,
    Ag sydd yn sugno'm serch a'm bryd
       O'r creadur oll i ma's.

---

[1] Enghraifft arall yw'r ail linell yma :

    " Marchog, Iesu, yn llwyddiannus,
      Gwisg dy gleddau yng ngwasg dy glun."

Y mae 'r ail linell yn llwyr sylweddoli 'r holl awgrymiadau
yn y gair cyntaf—*marchog.*

Tyn fy serchiadau'n gryno iawn
  Oddiwrth wrthrychau gau
At yr un gwrthrych ag sydd fyth
  Yn ffyddlon yn parhau.''

*   *   *   *   *

'' Melusach nag yw'r diliau mêl
  Yw munud o'th fwynhau,
Ac nid oes gennyf bleser sydd
  Ond hynny yn parhau.

A phan y syrthio ser y nen
  Fel ffigys îr i'r llawr
Bydd fy niddanwch heb ddim trai
  Oll yn fy Arglwydd mawr.''

IX

ARDDULL

DYWEDWYD gynneu mai teipiau oedd tes-
tunau beirdd y Cyfnod Clasurol yng
Nghymru. I ddeall paham y dewiswyd
teip yn hytrach nag unigolyn yn wrthrych
barddoniaeth rhaid gwybod am egwy-
ddorion athroniaeth yr Oesoedd Canol,
yn arbennig yn y ddeuddegfed ganrif, a
datblygiad Neo-Platoniaeth a Realiaeth
yn ysgolion Ewrop. Canys ar sylfeini
athronyddol yr adeiladwyd beirniadaeth
lenyddol a barddoniaeth Gymraeg, a
dyna'u gogoniant hwynt.[2] Digon yn awr
yw dweud bod teipiau i'r beirdd Cymreig
yn wrthrychau sylweddol, eu bod yn bod.
Sylweddau, nid pethau diflan, oedd deunydd
barddoniaeth. Pethau tragywydd, nid
pethau amser. Dyna'r allwedd i'r tradd-
odiad llenyddol. Colled bob amser yw
astudio llên cyfnod heb sylwi hefyd ar
athroniaeth a syniadau cyffredin y cyfnod.
Yn yr Oesoedd Canol, oesoedd meddwl

---

[2] Dyna'r ddamcaniaeth y gobeithiaf ei hegluro yn ail
gyfrol y gyfres.

synthetig, yr oedd y berthynas rhyngddynt yn agos iawn. Y sefydlog, y digyfnewid, oedd testunau'r traddodiad llenyddol. Mynd i fod ac am fod y mae popeth daear. Nid ydynt yn bod, canys bod yw parhau heb newid, parhau yn ddiamser. Peidio â bod yw newid a datblygu, priodoleddau byd y symud. Nid y symudol ond y tragywydd oedd testunau prydyddiaeth Gymraeg.

Meithrinwyd cerdd dafod i drin y gwrthrychau hyn, bodau syml pur digymysg, teipiau perffaith byd yr ideâu Platonaidd a'r dogmâu Cristnogol. Ac am eu bod yn syml a thragywydd, ffurfiwyd iaith a chelfyddyd araf, urddasol yn fynegiant iddynt. Ni allesid codi cynghanedd ond ar sail athroniaeth a syniadau beirniadol yr Oesoedd Canol. Y mae arafu ymadrodd yn hanfodol mewn cynghanedd, cydio brawddegau a geiriau yn ei gilydd gan ffrwyno'u carlam a'u hieuo oll ynghyd. Felly hefyd arferion eraill cerdd dafod, y cymeriadau, y gostegion, yr awdlau unodl. Nid symud ymlaen tuag at feddyliau newydd yw dull canu'r beirdd clasurol Cymraeg, ond troi mewn cylch,—cylch perffeithrwydd y planedau—a gorffen yn y fan a'r gair y cychwynnwyd, celfyddyd y bardd yn arwyddo natur dragywydd ei destun. Dyna gynllun cyson awdlau Dafydd Nanmor. Yr un modd y gystrawen a'r iaith. Cystrawen synthetig, wasgedig, yn glynu wrth hen ddulliau a phriod-ddulliau, nerth ac urddas ar ffurf gryno'r brawddegau ac ar drefn y geiriau. Yr eirfa'n oludog, ac yn y cywyddau serch yn ysgafn a phêr, ond bob amser yn bwyllog, yn rhwysgfawr, ac yn y marwnadau a'r awdlau yn llawn hen eiriau ansathredig a geiriau cyfansodd sy'n aml yn glogyrnaidd. Iaith i ddeffinio syniadau haniaethol ac egwyddorion athroniaeth, iaith gymwys i gyfraith, i gyfieithwyr y Beibl ac i Forgan Llwyd o Wynedd. Iaith y diwylliant Lladin yn Ewrop a'i holl ddiddordebau.

Ond yr oedd un peth na bu erioed raid ar y traddodiad llenyddol Cymraeg na'r iaith Gymraeg eu haddasu eu hunain iddo, peth a esgeuluswyd yn ormod yn yr Oesoedd Canol: sef gwyddoniaeth. Yn yr ail ganrif ar bymtheg y daeth gwyddoniaeth i'w chyfoeth yn Ewrop, ac erbyn hynny darfuasai ysgolion y beirdd Cymraeg. A gwyddoniaeth yw gwybod arbennig yr Oesoedd Modern. Nid ym myd rheswm a bod yr ymddiddora, eithr ym myd ffaith a symud, byd ffenomenau a'r synhwyrau. Dyna'r newid mawr. Yr oedd yr Oesoedd Canol yn ddifater am wyddoniaeth, oblegid iddynt hwy nid oedd byd y synhwyrau ond arwydd ac alegori o fyd y sylweddau diysgog. I'r meddwl modern, a brofo'r synhwyrau sydd sicraf, a'r cyfrwng i adnabod sylweddau yw gwyddoniaeth. Nid achosion pethau na'u perthynas rhesymegol a'i gilydd yw materion gwyddoniaeth. Yn hytrach y modd yr ymddengys pethau, a swydd gwyddonydd yw disgrifio ymddangosiadau yn gyflawn fanwl.

Bardd Cymraeg cyntaf y meddwl modern hwn yw Pantycelyn. Sylwyd droeon yn y penodau blaenorol ar ei amddifadrwydd o feddwl metaffysegol a synthetig. O'r tu arall dangoswyd ei fod yn hyddysg mewn seryddiaeth, yn gyfarwydd â syniadau gwyddonol ei oes mewn bywydeg a meddygiaeth, ac yn fwy na'r cwbl yn arloesydd disglair yr wyddoniaeth ieuangaf, sef eneideg. Prif ddawn gwyddonydd yw sylwgarwch a dychymyg mewn dadansoddi. Dyna ddawn Pantycelyn. Ni bu fardd erioed mewn unrhyw wlad yn berchen athrylith wyddonol lwyrach nag ef. Hynny a gyfrif am ryfeddod eneidegol *Theomemphus*, y testun pwysicaf a gyflwynodd llenyddiaeth hyd yn hyn i wyddoniaeth.

Deallwn newydded hyn. Yr oedd yn chwildro llwyr ar farddoniaeth. Nid gwrthrychau rheswm na bodau gwastad yw testunau'r bardd hwn, ond y pethau mwyaf anwastad, y pethau sy'n newid, yn symud, yn goddef effeithio arnynt, yn derbyn elfennau newydd, yn peidio â bod ac yn mynd i fod, meddyliau a theimladau ac ysgogiadau natur dyn:

> " Lleng 'nol lleng, olynol ganlyn,
> Ynw'i o feddyliau gau,
> Heddyw yn newid, ddoe yn drysu,
> Ddoe a heddiw yn parhau."

I fynegi'r byd hwn mewn barddoniaeth yr oedd iaith a dulliau cerdd dafod yn llwyr anfedrus. Nid i hyn y lluniwyd hwynt. Disgyblaeth hanfodol wahanol a gawsant erioed. Yn y byd dieithr hwn troai arafwch urddasol a chynlluniau cymalog miwsig cynghanedd, ei goddefiadau a'i chymeriadau a'i mesurau, yn hualau clogyrnaidd megis pais arfau mewn rhyfel heddiw. Ni allai geirfa'r awdlau a'r cywyddau, yr enwau henaidd a'r ansoddeiriau cyfansodd, drin o gwbl gyfrwystra aflonydd tymherau oriog. Annichon i gystrawen synthetig y beirdd a'r cyfieithwyr ddadansoddi profiadau, 'adnabod dirgel ffyrdd temtasiynau, chwilio allan walau tywyll cnawd a chwant', a chreu mewn iaith symbol o gymhlethdod dyrys personau byw. Yr oedd yr iaith lenyddol fel y daeth hi i Williams, drwy'r Beibl a'r cyfieithwyr ac Ellis Wynne a Theophilus Evans, yn sialens enbyd i'w fedr. Perthynai i'r hen fyd, byd yr oesoedd cyn Galileo a Newton. Plentyn y byd newydd oedd yntau. Beth a allai ef o'r fath iaith?

Ger ei law fodd bynnag yr oedd iaith arall. Cymraeg tafodiaith, gwytnach na'i chwaer yr iaith lenyddol. Ni bu hon erioed mewn ysgol na than driniaeth pencerdd. Nis addurnwyd ychwaith ag urddas y diwylliant pendefigaidd. Nis priodwyd hi erioed â moliant beirdd. Ond yn iawn am ei dinodedd a'i magiad diddysg, yr oedd hi'n ablach i wynebu caledi na'r iarlles lên. Aethai'r stormydd dros y tir, bu erlid ar ei heurchwaer, difrod ar ei llannau a'i phlasau, a hithau'r dafodiaith, yn ei bratiau cartref ac wrth ei gwaith, yn ei chymwyso'i hun i bob tro ar fyd. O leiaf, yr oedd hi'n fyw ac iach, ac yn fyw am ei bod yn ddifalch ac yn ystwyth. Byw yn wir oedd ei champ arbennig hi, byw a'i haddasu ei hun i bob tywydd. Anghenion bywyd pob dydd a luniodd ei gwisgoedd hi, ei chystrawen, ei thalfyriadau, ei dull llithrig o drin geiriau, a'i harfer sylwgar, manwl, analytig o ddis-grifio popeth. I fyd y symud a'r synhwyr-au, byd ffeithiau caled, ymarferol, y perthynai hi'n gyfangwbl. Ei phraw hi ar air oedd ei hangen amdano, nid ei dras na'i drwsiad. Benthygiai eiriau estron yn wyneb-galed a rhugl onid oedd ganddi air cymwys ei hun.

Er hynny oll, nid bardd tafodiaith yw Pantycelyn, ac nid gwir mai camp ei athrylith oedd cymryd tafodiaith a'i throi'n offeryn llenyddiaeth. Nid felly o gwbl.

Canys er ei holl ddoniau yr oedd gan dafodiaith anfanteision dybryd. Cyfyng oedd cylch ei llafur; tlawd oedd ei geirfa. Iaith ddefnyddiol oedd hi, nid iaith meddwl na chelfyddyd. Ni allasai Williams ymwrthod â golud yr iaith lenyddol na'i disgyblaeth hi. Y peth a wnaeth ef oedd cymysgu'r ddwy iaith a'u defnyddio'n gyfrodedd â'i gilydd, a thrwy hynny greu iaith lenyddol newydd a phriodol iddo'i hun. Gwnaethpwyd peth tebyg o'i flaen ef gan Ellis Wynne yn y *Bardd Cwsc*,[1] a diau na bu'r esiampl honno ddim heb ei heffaith ar Williams. Ond yr oedd Pantycelyn yn awdur mwy toreithiog nag Ellis Wynne. Yr oedd hefyd yn llai beirniadol, hynny yw yn llai artist. Gwaith artist traddodiadol yn y bôn yw'r *Bardd Cwsc*, a'r darnau tafodiaith yn y llyfr wedi eu dethol yn ôl bwriad artistig. Gweu dulliau ac ymadroddion llafar gwlad i mewn i frethyn yr iaith lenyddol a wnaeth Ellis Wynne, a thrwy hynny gychwyn traddodiad mewn rhyddiaeth Gymraeg a erys hyd heddiw, tyst o straeon byr Miss Kate Roberts sydd yn ei olyniaeth ef. Peth gwahanol a wnaethpwyd gan Bantycelyn. Yn gyntaf, ymwrthododd â holl *olion* cerdd dafod. Megis y cymerth ef ei fesurau oddiwrth emynwyr Saesneg, felly y cymerth hefyd yn gyflawn gelfyddyd y canu rhydd, a rhoi pen ar

[1] Gweler *Y Llenor*, cyf. II (1923), tud. 159–169.

gymrodedd hanner caeth a hanner rhydd
baledwyr a charolwyr yr ail ganrif ar
bymtheg. Rhoes i'r canu rhydd annibyn-
iaeth lawn a'i grefft briodol ei hun. Yr oedd
Williams yn feistr mawr ar dechneg canu
rhydd, a gwiw yw dweud hynny oherwydd
barnu o ddegau o'i feirniaid a'i olygyddion
ei fod yn afreolus, a mynd ati'n anwyb-
odusion i gywiro a rheoleiddio'i linellau
ef gan gyfrif eu sillafau. Ys gwir bod
beirdd a beirniaid hyd heddiw yng Nghymru,
a rhai ohonynt yn wŷr o bwysau, yn
cyfrif sillafau mewn canu rhydd.[1] Ni all
y rheini ddeall crefft Bantycelyn, na
gwerthfawrogi priodolrwydd technegol
llinellau fel:

> " Ofer imi weld y blodau
>   Yn datguddio eu haneirif liw."

neu eto:

> " Marchog, Iesu, yn llwyddiannus,
>   Gwisg dy gleddau yng ngwasg dy glun."

Gwyddys y modd y dinistriwyd holl werth
y llinell olaf hon gan olygyddion a'i cywirodd

> " Gwisg dy gleddyf ar dy glun."

A hynny er bod Williams ei hun yn ddigon
sicr o'r llinell i'w defnyddio ddwywaith,

---

[1] Ar egwyddorion canu rhydd gweler *The Principles of
English Prosody* gan Lascelles Abercrombie.

a'r pennill lleiaf enwog o'r ddau yw'r gorau fel barddoniaeth:

> " Marchog yn dy freiniol allu,
>   Gwisg dy gleddau yng ngwasg dy glun,
>   Estyn fraich a thorr elynion,
>   Achub wael druenus ddyn;
>   Gelyn llym, ni saif ddim
>   Fyth o flaen dy anfeidrol rym."

Dyweder eto: nid oes gan Williams ddim i'w ddysgu am grefft y canu rhydd gan neb a'i dilynodd. Gellir dysgu egwyddorion y mesurau rhyddion yn unig o astudio ei waith ef.[1]

Dengys y pennill uchod nad mewn tafodiaith y sgrifennai Williams ychwaith, er bod ynddo odlau tafodieithol sy'n arwydd o gymhlethdod iaith lên ac iaith fro yn ei emynau. Yma, ac mewn ugeiniau o linellau eraill, fe ddefnyddiodd gystrawen gynnil yr iaith lenyddol:

> " Ni chollodd a'i meddodd y llwybr erio'd."

Yn aml hefyd fe ddefnyddiai iaith lên a ffurfiau tafod yn blith draphlith â'i gilydd mewn ffrâm o gystrawen dafodieithol, megis yn y cwpled hwn:

> " Mae yma rywbeth sydd yn mogi
>   Goleuadau pur y Ne."

[1] Na ddisgwylier imi drin celfyddyd *emyn* yn y bennod hon, megis petai'n fath arbennig o ganu. Nid oes i'r emyn unrhyw egwyddorion *artistig* ond y sy'n gyffredin i bob math arall o farddoniaeth rydd.

Yr oedd geirfa Williams yn dra goludog, ac
ni fyddai raid iddo ofni ei chymharu hi â
geirfaoedd y beirdd clasurol. Ond bwriodd
heibio un o ddulliau iaith y beirdd, sef y
gair cyfansodd, a chymerth i'w le arfer yr
iaith lafar o dalfyrru geiriau a brawddegau
er mwyn llithrigo ymadrodd:

" 'Rwy'n dy garu, 'dd'weda'i 'chwaneg" . . .
" Pan 'row'n i yn eitha gwan " . . .
" Tir dymunol yw 'nhifeddiaeth " . . .

Mewn cystrawen hefyd torrodd â'r iaith
lên o'i flaen. Dyna a ddisgwyliem, canys
tebyg yw gwasanaeth cystawen lên yn
ystyr llinell i waith cynghanedd yn sain
llinell. Rhwyma gerddediad y meddwl
mewn gwe resymeg. Cadwyn gref ydyw.
Rhaid oedd i Williams ddryllio'r hualau
hynny, a throes yn union at arfer iaith lafar.
Cymerth ei dulliau llac, troellog hi a'r
ffurfiau llafar ar ferfau. Sylwer mai'n
arbennig mewn penillion a fo'n disgrifio
cyflyrau meddwl ac yn y rhannau eneidegol
o *Theomemphus* y ceir cystrawen dafodiaith
ganddo'n amlaf. Er enghraifft:

" Nawr 'rwy'n gweld y mae'n ehedeg
    Mewn i'm calon ac i ma's
Fil o bethau sydd wrthwyneb
    I egwyddor dwyfol ras;
Uffern lid ynt i gyd
Sydd yn erbyn f'enaid drud."

Onid yw'r pennill drwyddo'n dilyn yn agos ac yn fanwl y peth a ddisgrifir? Deil y digwyddiad, nid fel peth cyflawn, hynny yw ar ôl iddo fod, megis pe dywedyd:— 'Gwelaf ehedeg'; nac ychwaith fel peth a ddeëllir a'i leoli felly ym myd rheswm ac mewn cyfundrefn, megis pe dywedyd:— 'Gwn am ehediad pethau gwrthwyneb,' ond yn hytrach dal y cwbl, hyd yn oed yr act o ymwybod ei hun, yn y funud y digwyddo, a'i droi oll yn gyfamser, gafael ar fywyd yn ei symud:

" Nawr 'rwy'n gweld y mae'n ehedeg."

Dyna briodoledd arddull Pantycelyn. Rhoes i'r Gymraeg ddisgyblaeth a phrofiad newydd. Creodd iaith lenyddol gymysg y gellir ynddi drin bywyd unigolion a dilyn troeon chwimaf y meddwl. Gwnaeth iaith fodern, offeryn i wyddoniaeth a nofelwyr fynegi drysni cymhleth y profiadau cyfrwysaf, ingoedd chwant a dyhead, trai a llanw teimladau nerfus. Gwelsom y gamp honno yn *Theomemphus* ac yn ei nofelau rhydd-iaith. Ar ei ôl ef yr oedd nofelau Daniel Owen yn bosibl, a chofier mai un a fagwyd yn ei gyfundeb ef ac yn sŵn ei emynau oedd Daniel Owen. Iaith Pantycelyn yw cyfrwng y farddoniaeth hynotaf a sgrifennir heddiw, a mawr yw dyled y ddrama iddi. Diau bod meflau arni, beiau cys-

trawen sy'n llawer gwaeth na beiau orgraff,
aflerwch diesgus yn aml a diofalwch dybryd
am sain ac odl. Rhaid dygymod â hynny.
Y mae'n cydfynd â rhinweddau Williams.
Drylliodd anystwythder barddoniaeth. Cyn
ei ddyfod yr oedd hi'n urddasol, ond yn
stiff fel haearn bwrw. Toddwyd hi yng
ngwres ei brofiad. Llifodd fel metel tawdd
drwy ffwrneisiau ei emynau. Yn ei ganu
diweddaraf yn arbennig, aeth ei arddull
yn fwyfwy gwasgedig a chyflym. Gwelir
datblygiad mawr yn emynau olaf *Ffarwel
Weledig* a *Gloria in Excelsis*. Ceisiai'r
bardd roi mwy mewn llinell nag a allai
geiriau ei ddal. Sigwyd hwynt weithiau
hyd at eu. llurgunio. Dryswyd cystrawen
o fwriad; ac er mwyn dal y meddwl rhaid
anghofio gramadeg a gadael i ddychymyg
gipio'r ystyr:

> " Hyn yw'm meddwl, hyn yw'm hawddfyd,
> Yn nhymhestloedd oer y byd,
> *Caf fi 'nal fynd tros y bryniau*
> *Stormus weld dy wyneb-pryd ;*
> Fe â heibio
> Swn y dymhestl a'r gwynt."

Ceir amryw byd o'r penillion hyn sy'n
rhy lwythog i gystrawen ddal y pwysau:

> " Pa fath uwchder rhed fy nghariad?
> Pa fath syndod y pryd hyn

Pan y gwelw'i dy ogoniant
Perffaith llawn ar Sion fryn?
Anfeidroldeb
O bob tegwch maith yn un."

Digrif yw gweld yma 'gymeriad' cerdd dafod yn llithro i mewn i'w waith, a digrif hefyd yw sylwi iddo ddarganfod yn ei gyfnod olaf, ac yn ei ymdrech am feichiogrwydd, werth newydd yng nghynildeb cystrawen synthetig yr iaith lenyddol. Defnyddia hi yn rymus ddigon yn ei thro:

" F'enaid egwan, paid ag ofni;
'Dyw dy elynion bob yr un
Ond rhai eisioes wedi eu congcro
Gan a wisgodd natur dyn."

Ond troer y dail ychydig a cheir ef eto'n bwrw ymaith bob cymal gramadeg ac yn neidio'n rhydd a diresymeg o syniad i syniad:

" Os am bechod y'th w'radwyddwyd
Ac trywanwyd gwaywffon
Nes gwneud archoll na anghofir
Tra fo nefoedd, tan fy mron:
Gad i mi gael ffrwyth dy glwyfau
Gad i mi gael rhin dy wa'd,
Maddeu 'mhechod, gweld dy wyneb
Ti fy Mhrynwr a fy Nhad."

Nid rhyfedd iddo ofyn yn yr un emyn:

" P'odd y galla'i ddweud sydd ynw'i? "

na rhyfedd ychwaith iddo anobeithio am allu ystwytho iaith i draethu ei feddwl, a throi mewn dychymyg at gyfrwng arall yn fynegiant iddo:

> " Rwy'n dy garu, 'ddweda'i 'chwaneg;
> Uwch pob geiriau i ddodi ma's
> Yw dy gariad, yw dy heddwch,
> Yw dy anfeidrol ddwyfol ras;
> Yn nhafodiaith nefoedd oleu
> Caf fi draethu ym mhlith y llu
> Gyda blas na ellir ddeall
> Hen ddirgelion nefoedd fry."

Anobaith Pantycelyn yw gobaith y Gymraeg. Cyn ei gollwng o'i law rhoes iddi egni dihysbydd a hoywder i wynebu galwadau bywyd. Profodd ei bod yn gyfrwng gwiw i draethu popeth ond yr anhraethadwy. Rhoes ei enaid ynddi. Gellir ei ddal weithiau'n ymgodymu gyda hi, yn ei phrofi unwaith a methu ganddo ddweud a fynnai:

> " Am hynny, f'enaid, dos yn mla'n,
> 'Does ar dy ffordd na dŵr na thân,
> Nac unrhyw rwystr nad ai trwy."

Dyna'r methu. Yn yr emyn nesaf un ceisiodd eilwaith, a llwyddo'n wych:

> " Wel, f'enaid, dos yn mlaen
> 'Dyw'r bryniau sydd gerllaw
> Un gronyn uwch, un gronyn mwy
> Na hwy a gwrddaist draw."

Ceir hynny ganddo'n aml. Ebr ef unwaith:

> " Mae'i ddyfodiad fel yr heulwen."

Da ddigon. Ond nid oes ynddo'r sioc o lawenydd creadigol a oedd ym meddwl y bardd, ac ymhen ychydig ddyddiau dychwelodd yn ardderchog at y syniad:

> " Yn nyfnder tywyllwch nos
> Mi bwysa' ar dy ras,
> O'r tywyllwch mwya' tew
> Fe ddwg oleuni ma's:
> Os gwg, os llid, mi af i'w gôl,
> *Mae'r wawr yn cerdded ar ei ôl.*"

Dyna'r ysbrydoliaeth wedi ei chreu'n gyfan, a'r pwyslais ddwywaith ar y gair 'tywyllwch' yn paratoi'n ddeheuig firagl y llinell olaf. Ceir yr unrhyw syndod yn aml yn gwbl ddibaratoad, a rhyw uniongyrchedd chwyrn yn tywallt allan yn y llinell gyntaf o emyn. Egyr degau o'r hymnau â chyfarchiad sydyn fel gwaniad saeth:

> " Anweledig, 'rwy'n dy garu " . . .

> " Iesu, nid oes terfyn arnat " . . .

> " Golwg, Arglwydd, ar dy wyneb
> Sydd yn codi'r marw o'r bedd."

Dirifedi yw'r agoriadau dramatig hyn.
Trown i orffen at y penillion llonyddach a
geir ganddo hefyd. Codwyd llawer ohon-
ynt eisioes yn y penodau blaenorol. Yn-
ddynt hwy y clywir sicrwydd dwfn ei
ffydd a damcaniaeth fawr ei fywyd. Soniais
am ei ddiddordeb byw mewn gwyddoniaeth.
Nid heb arswyd yr astudir seryddiaeth a
darganfod cwrs anesgor y planedau. Ond
troes Williams hyd yn oed dybiaethau
arswydus gwyddonwyr am dranc heuliau
a bydoedd ac am yr oeri araf, sicr ar wres
cynhaliol y cosmos, yn destun hyder tawel
a diysgog, a hynny mewn telyneg sydd
yn ei rhwysg yn enghraifft wych o'i allu i
gyfuno syniadau gwyddonol ac angerdd y
cyfrinydd:

" Mae haul a ser y rhod
        Yn darfod o fy mla'n,
    Mae tywyllwch dudew yn dod
        Ar bob peth hyfryd glân:
Fy Nuw ei hun sy'n hardd, sy'n fawr,
Ac oll yn oll mewn nef a llawr."

Onid oes mawredd pur yn y pennill yna,
ni wn i ym mhle y ceir.

X

RHAMANTIAETH

GWELSOM mai'n fardd unigedd y cych-
wynnodd Pantycelyn ar ei yrfa. Tua'r un
cyfnod fe gychwynnodd bardd arall, sef
Goronwy Owen, ar ei waith yntau. Mewn
unigrwydd ysbryd y treuliodd ef hefyd y
rhan fwyaf o'i oes lenyddol, ac ymdeimlo
a'i unigedd a fenodd fwyaf ar ei lafur.
Bu fyw ym mlynyddoedd ei egni barddonol
mwyaf allan o Gymru a heb gwmni Cymreig,
yng Nghroes Oswallt ac yn Walton gerllaw
Lerpwl ac yn Northolt. Magesid ef yng
Ngogledd Cymru, a'i addysgu yn Sir Fôn a
Sir Gaernarfon, na chollesid ynddynt yn
llwyr olion yr hen draddodiad llenyddol.
Cadwyd o leiaf ddigon ohono i greu hiraeth
a hyder ym mynwes llanc llengar. Ond
yn ei alltudiaeth amddifadwyd Goronwy
hyd yn oed o'r tipyn hynny. Yr oedd ar
ei ben ei hun ymhlith estroniaid, a'i
freuddwydion am a fu yn unig gysur iddo.
Curad oedd ac athro ysgol. Casâi ei waith,

casâi ei feistriaid, ei dlodi a'i gaethiwed.
Ganesid ef yn annhymig. Aflonyddai fyth a
beunydd, chwilio o hyd am waith newydd,
crefu am newid lle a chwannog i grwydro.
Hynny o'r diwedd a'i gyrrodd i'r America.
Ar ambell gyfrif yr oedd ei yrfa fydol yn
rhyfedd o debyg i yrfa Arthur Rimbaud,
y bardd Ffrangeg, a phes ganesid ef yn
Ffrainc diau y troesid ei hanes yn symbol
o'r diwreiddio a fu ar ei wlad a'i gyfnod.
Y mae yna beth i wanu calon yn y llythyr
olaf a'r awdl olaf a anfonodd ef yn ôl o'r
America cyn diflannu ohono i'r niwl, gan
droi am y tro diwethaf i gofio'i ddyheadau
gynt ac i fynegi eto hiraeth a oedd yn
anesgor:

> " Soniais, sygenais gŵynion—do ganwaith
>   Am deg Wynedd wendon."

Canys dyna oedd ei farddoniaeth i Oronwy
Owen: noddfa oddiwrth drueni ei fywyd
a'i amgylchiadau. Syrffedid ef gan bob
dim o'i gwmpas, hyd yn oed gan faledau
'beirdd bol clawdd,' gwehilion y gogoniant
gynt. Troes yntau i fyw oriau gorau ei
einioes mewn myfyrdod am y gorffennol ac
ymdrech i'w sylweddoli'n greadigol. Rhoes
ei holl nerth i ddysgu crefft yr hen benceir-
ddiaid, i feddiannu eu cerdd a'u hiaith, i
gyfansoddi awdlau a chywyddau ac i
freuddwydio am epig Gymraeg, hoff

uchelgais y Dadeni yn Ewrop yn yr unfed
ganrif ar bymtheg. Canys plentyn y Dad-
eni oedd Goronwy Owen, a aned yn hwyr.
Cododd iddo'i hun dŵr o farddoniaeth y
gallai ymgysuro ynddo. Troes cerdd dafod
yn iawn iddo am holl anffodion ei oes.
Gwasnaethai celfyddyd iddo ef yn union
fel y gwelsom wasnaethu o'r Nefoedd i
Bantycelyn yn ei hymnau cynnar. Dyna
ddull gwahanol yr artist a'r cyfrinydd yn
eu hadwaith yn erbyn ffeithiau. A dyna
ystyr ac amcan holl efrydiau Goronwy
Owen, ei ddisgyblaeth ddygn yn yr hen
ramadegau, y geirlyfrau a'r llawysgrifau
beirdd. Hwy oedd defnyddiau plas ei
ddychymyg, y plas y cododd ef ei furiau
rhyngddo'i hun a'r byd taeog. Creu noddfa
yw bwriad ei glasuraeth ef, noddfa artist
mewn oes ddidrefn, lloches ei unigedd
balch.

Craffwn ar y canlyniadau. Dyma ddau
fardd, Goronwy Owen a Phantycelyn, yn
cychwyn tua'r un amser yn y ddeunawfed
ganrif, a chan wynebu ar yr unrhyw
amgylchiadau a'r unrhyw broblem mewn
llenyddiaeth. Eu hymdeimlad ag unig-
rwydd yng nghanol oes ddidrefn yw man
cychwyn y ddau. Ymafaelodd y ddau
yn y broblem a'i thorri bob un yn ei ddull
ei hun: Goronwy drwy naddu iddo'i hun
lwybr yn ôl i'r byd clasurol; Pantycelyn
drwy dderbyn ffeithiau ei fywyd a'u troi'n

sail damcaniaeth a method newydd mewn barddoniaeth, sef Rhamantiaeth.

Yr oedd y ddau hyn yn rhan o etifeddiaeth Cymru y bedwaredd ganrif ar bymtheg. Ond triniwyd y ddau mewn dulliau tra gwahanol. Nid fel bardd y derbyniwyd Pantycelyn, eithr yn Ddiwygiwr, yn un gyda Howel Harris a Daniel Rowland a sefydlodd gymdeithas newydd yng Nghymru a rhoi i'r wlad fywyd crefyddol newydd. Cymerwyd ei emynau, aethant yn rhan o fywyd y genedl, yn rhan—sylwer—o fywyd ymarferol y genedl. Nid barddoniaeth mohonynt mwy, ond offerynnau ymarferol bywyd crefyddol, "moddion gras" fel y gelwid. Collwyd drwy hynny y rhan fwyaf o ddigon o'u hystyr a'u gwerth. Yn anad dim, collwyd ystyr holl fywyd Pantycelyn. Ni ddeallodd neb y pethau y ceisiodd y llyfr hwn eu hegluro. A gadael heibio'r mater llenyddol pur, ni welwyd gwerth moesol y cynnydd ysbryd ym mywyd Pantycelyn. Bu ganddo effaith ar waith emynwyr ar ei ôl, ond nid effeithiodd ef ddim ar grynswth llenyddiaeth, na dim ar ddamcaniaethau llenyddol nac ar feirniadaeth. Nid oes i Bantycelyn ran uniongyrchol o gwbl yn natblygiad llenyddol y ganrif ddiwethaf.[1]

---

[1] Byddai'n dda pe cofiai rhai o elynion llenyddiaeth ifanc heddiw hynny, a pheidio mwyach â'n cynghori ni i " gofio Pantycelyn yr un pryd."

Yn hytrach i Oronwy Owen y perthyn hynny. Ef drwy ei farddoniaeth a'i lythyrau a sylfaenodd lenyddiaeth Gymraeg y ganrif ar ei ôl.[1] Efelychu ei grefft ef a dwyn ei uchelgais farddonol i ben oedd gorchwyl dewis y ganrif. Ond unwaith yn rhagor, ni ddeallwyd na bywyd na gwaith Goronwy Owen yn iawn. Ceisiwyd codi plas barddoniaeth tebyg i'w blas ef, ond nid â'r un cerrig na'r un cynion. Nid astudiwyd yr henfeirdd fel y gwnaethai ef, na'r gramadegau na'r geirfaoedd. Nid oedd gan neb ysgolheigiaeth hafal i'r eiddo ef na'i afael ar yr hen awduron. Peth truan oedd y dynwared, peth anghlasurol i'r eithaf. Ond gwaeth lawer na hynny: nid oedd ar neb yr angen a fuasai arno ef am farddoniaeth. Nid aeth neb drwy ei brofiad ef, nac ymdeimlo â'i unigedd na'i anobaith. Nid edrychai neb yn ôl i'r cyfnodau clasurol na cheisio treiddio i'w cyfrinach. Ni wybuwyd angen hynny. Credid mai gwlad o ddywyllwch oedd Cymru hyd at y Diwygiad Methodistaidd. Ac eto ceisid defnyddio celfyddyd y tywyllwch, sef cerdd dafod, peth y gwelsom iddo dyfu o hanfod y tywyllwch. A thrwy ymroi i amcanion barddonol cyfnod y tywyllwch, anwybyddu'n llwyr brif nodweddion hyd yn oed y byd modern ei hun. Anwybyddu Rhamant-

[1] Gweler : *Y Llenor*, cyf. IV (1925), tud. 30–39, " Yr Eisteddfod a Beirniadaeth Lenyddol."

iaeth; a gwaeth na hynny, anwybyddu gwyddoniaeth, ac felly llwyr fethu gan lenyddiaeth etifeddu golud ei chyfnod ei hun, a throi'n blwyfol a dibwys. Beth oedd effaith hynny? Nid oedd un cysylltiad hanfodol, un cysylltiad trwyadl mewn personoliaeth, rhwng bywyd y ganrif a barddoniaeth y ganrif. Felly, hobi oedd barddoniaeth. Nid peth a wnâi fyw yn bosibl megis y buasai i Oronwy Owen. Nid dull o feddiannu bywyd megis y bu i Bantycelyn. Ond dull o ddifyrru oriau segur bywyd. A'r unig fodd y gellid ei gyfiawnhau oedd drwy roddi iddo swydd-ogaeth ymarferol, sef ei droi'n gyfrwng moeswersi a chynghorion crefyddol. Trwy hynny rhoddwyd i farddoniaeth esgus dros ei bod, a cheisiwyd ei gwneud yn beth rhesymol. Ni lwyddid ei gwneud yn angenrheidiol.

Onid yw'n eglur mai un o brif achosion tlodi barddoniaeth y ganrif ddiwethaf oedd cefnu ohoni ar Bantycelyn? Canys cym-wynas Williams i'r byd modern, yn neilltuol i Gymru fodern, oedd rhoi *raison d'être* i farddoniaeth, rhoi iddi swyddogaeth mewn byd didrefn, byd o unigolion, byd heb unoliaeth cymdeithas na chredo nac athron-iaeth, a byd y cymerth gwyddoniaeth ynddi y flaenoriaeth a fuasai gynt yn rhan rheswm.[1]   Condemniodd Goronwy Owen y byd newydd. Derbyniodd Williams ef ynghyd â'i holl unigoliaeth, a chael ynddo sylfaen ddisigl i farddoniaeth o fath newydd. Heb farddoniaeth ni ellid meddiannu'r byd hwn. Yr oedd barddoniaeth yn anhepgor.

A ddylid dadlau gan hynny mai Rhamantiaeth yw'r syniad terfynol am natur llenyddiaeth yn y byd modern?   Ni chredaf hynny o gwbl, a thybiaf fod hanes gwaith Pantycelyn yn tystio yn erbyn hynny. Gwelsom, yn arbennig yn emynau *Ffarwel Weledig* a *Gloria in Excelsis*, mai tuedd ei fywyd oedd tyfu allan o'i unigoliaeth gynnar a thrwy ddarganfod gwerth yn y byd gwrthrychol awgrymu o leiaf bosibilrwydd athrawiaeth gymdeithasol newydd. O'r cychwyn y peth a ddiogelodd ramantiaeth Williams oedd fod Duw yn fater ei brofiad a'i ganu, ac mai cyfrinydd oedd. Credaf fod rhamantiaeth yn llai ei pherygl i fardd Cristnogol oblegid ei chymysgu hi o reidrwydd ag elfennau moesol.   Perygl y bardd rhamantus yw ymŵyro dros ddrych ei feddwl ei hun a chyfrif holl dueddiadau'i natur yn gydwerth, rhoi mynegiant i'w brofiadau heb geisio effeithio arnynt na newid ei gymeriad ei hun.   Cristnogaeth

[1] Dangosir y gwahaniaeth yn darawiadol ym mhennod gyntaf llyfr Dr. Whitehead : *Science and the Modern World* (1926).

Williams, ei syniad moesol am Dduw, a'i gwaredodd oddiwrth hynny. Magu personoliaeth yw hanes ei fywyd, rhoi trefn arno'i hun. Pan gofiom iddo ddatblygu o ŵyrdroad rhywiol a nefrosis llanc i gytgord ac iechyd santeiddrwydd, i gyflawnder bywyd normal a chrwn, fe ddeallwn faint buddugoliaeth ei yrfa. Darllener cofiannau'r beirdd rhamantus yn Ewrop, ac fe welir mor eithriadol yw gyrfa Pantycelyn. Nid oes ond hanes Goethe yn hafal i'w hanes ef, a bardd oedd Goethe hefyd a dyfodd drwy ramantiaeth i wastadrwydd a chytgord.[1]

Dechrau'n fardd rhamantus a wnaeth Pantycelyn, datblygu ei ramantiaeth a'i mynegi'n llawn, yna ei meistroli a thyfu i weledigaeth fwy. A'r peth a'i cadwodd rhag aros yn derfynol mewn rhamantiaeth oedd ymholiad. Goddef profiadau, eu trysori a'u mynegi yn eu cyflwr cyntaf niwlog, ceisio awgrymu mewn geiriau ryfeddod tywyll a dieithr ei weledigaeth, dyna duedd aml fardd rhamantus. Nid dyna fethod Williams. Rhoes ef i'r deall ran hanfodol yn ffurfio'i bersonoliaeth. Nid oes brofiad nad ymdrŷ ef i'w chwilio a'i ddeffinio. Ni all dderbyn anneffiniad yn gyflwr uchaf meddwl. Cawsom ddegau o

---

[1] Gweler ysgrif bwysig R. Berthelot yn y *Revue de Metaphysique et de Morale*, Ionawr, 1927: *La Sagesse de Goethe et la civilisation de l'Europe moderne.*

enghreifftiau o hynny, a'r enghraifft fawr yw hanes caru Theomemphus a Philomela. Anneffiniad oedd lloches y serch rhamantus hwnnw. Trwy ddeffiniad gellir meistroli anarchiaeth y nwydau a dwyn cytgord i'r cymeriad. Deffinio yw lleoli a chreu perthynas mewn cyfundrefn, a dyna hanfod cytgord mewn miwsig. Troes Williams ddeffinio yn ddull meddiannu profiad a ffurfio personoliaeth gyfan.

Bid sicr fe welsom mai gwrthyfel yn erbyn clasuraeth y ddeunawfed ganrif oedd rhan fawr o waith Pantycelyn. Erbyn heddiw, er mwyn dangos mor bell oddiwrth gyflawnder yr ysbryd clasurol oedd meddwl y ganrif honno, fe'i gelwir gan feirniaid yn lled-glasuraeth neu'n ffug-glasuraeth. Nid oedd ei threfn hi, ei synnwyr da a'i chytgordiad, yn effaith meistrolaeth eang ar gynnwrf profiadau, ond yn hytrach yn gynnyrch crebachu profiad a gwadu bodolaeth rhannau pwysig o gyflawnder bywyd. Oherwydd hynny yr oedd yn farwaidd a sych, a rhaid oedd dyfod llif y mudiad rhamantus i dorri'r argaeau. Ni wnaeth neb hynny'n llwyrach na Phantycelyn. Ond wedi ei wneud, nid ymwadodd ef â threfn na synnwyr da na rheswm. Ni phleidleisiodd ef fel rhai beirdd rhamantus dros fywyd greddfol neu gyngreddfol heb na rhesymu na dadansoddi i beryglu unoliaeth yr ecstasi cyntaf.

Yn hytrach ei athrawiaeth ef yw na feddiennir cyngreddf o gwbl onis delir o flaen bar rheswm a'i chwilio a'i leoli. Ebr Wordsworth:

> " One impulse from a vernal wood
> May teach you more of man,
> Of moral evil and of good,
> Than all the sages can."

Eithaf gwir ar un amod, ac eglurodd Wordsworth hefyd yr amod hwnnw:

> " Poetry is emotion *recollected* in tranquility."[1]

Ystyr 'recollected' yn fanwl yw casglu at ei gilydd, ail-greu trwy ddadansoddi a threfnu. Felly y mae dysgeidiaeth Wordsworth yn ei chyfanrwydd yn gytun ag athrawiaeth Williams. Cafodd Abasis a Theomemphus yr unrhyw gymhelliad, a gellir honni mai '*impulse from a vernal wood*' (o safbwynt dynol) oedd troedigaeth Theomemphus. Ni feddiannodd Abasis y cymhelliad. Nid aeth yn rhan o'i bersonoliaeth. Fe'i meddiannodd Theomemphus, a'i feddiannu sut? Trwy fynd i ysgol ddialecteg y Tad Alethius ac

---

[1] Gwelaf fod yr Athro Abercrombie yn ei gyfrol olaf, *Romanticism*, yn gwadu mai bardd rhamantus oedd Wordsworth, ac yn ei roi ym mysg y beirdd clasurol. Credaf ei fod yn gwbl iawn.

ail-greu'r gyngreddf, ei deffinio a'i lleoli
a'i deall.

Dyna arweiniad Pantycelyn i ninnau
heddiw. Ni ellir mwyach fynd yn ôl at
ddamcaniaeth lenyddol yr Oesoedd Canol
a sylfaenu'n gwaith ar hynny. Ni ellir
ychwaith yn ein hoes ni obeithio am
gymdeithas unedig yn sylfaen celfyddyd
gytbwys a chymdeithasol. Ni all bardd-
oniaeth ein "diddanu" mwyach yn union
fel y gwnaethai yn y cyfnod clasurol. Ond
erys drychfeddwl y beirdd clasurol yn
ddrychfeddwl i ninnau. Rhaid i ninnau
ymdrechu am drefn a chyfanrwydd a
synthesis mewn bywyd. Tuedd y meddwl
rhamantus yw gwneud yr unigolyn a'i
brofiad eithriadol yn unig awdurdod mewn
bywyd ac yn unig sylfaen bywyd. Na
wadwn o gwbl yr elfen gref o wirionedd sydd
yn y syniad. Ei fai yw ei fod yn anghyf-
lawn. Fe dybia fod 'unigolyn' yn bod ac
y gall ef ei adnabod a'i feddiannu ei hunan.
Ond yma y mae'n wiw dychwelyd at
Ddrws y Society Profiad. Yn niwedd ei
yrfa y sgrifennodd Williams y llyfr hwn.
Teg yw gweld ynddo ei feddwl addfetaf.
Dysgeidiaeth bendant y llyfr yw na all
dyn ar ei ben ei hun fyth mo'i adnabod ei
hun. Rhaid iddo wrth gymdeithas, wrth
fethod cymdeithasol a chymorth o'r tu
allan er mwyn ei ddarganfod ei hun yn
iawn. Rhaid wrth 'stiward y seiat'. Cym-

harwn y syniad hwn â dysgeidiaeth yr emynau diweddaraf ac fe welwn nad yw unigoliaeth Williams, yr elfen yn ei waith y rhoddwyd cymaint pwys arni ym mhennod gyntaf y llyfr hwn, ond rhan o'i feddwl addfetaf. Gan hynny, nid ym mhrofiad cyfrin yr unigolyn y mae awdurdod, sef yw hynny goleuni a disgyblaeth. Nid ychwaith y tu allan iddo, mewn cymdeithas neu eglwys neu ddatguddiad gwrthrychol. Ond yn hytrach: *yn y ddau ynghyd*. Felly, rhydd yr argyhoeddiad mewnol werth moesol i'r datguddiad gwrthrychol; a'r gymdeithas hithau a'r byd gwrthrychol yn sicrhau realiti'r profiad personol, yn ei achub rhag ymgolli mewn dychmygion pathologaidd, mewnblyg. Am hynny, nid peth gwrthwyneb i ramantiaeth yw clasuraeth, ond peth sy'n ei gynnwys mewn cyfuniad llawnach a dyfnach. Gwir gyfrinach mawredd Pantycelyn yw iddo ef drwy ei oes ymgyrraedd tuag at y llawnder hwn: tyfu o'i ramantiaeth gynnar i letach amgyffred o ystyr bywyd a byd a chymdeithas. Coron i'w hennill yw clasuraeth yn y byd modern, a rhaid ei hennill o newydd yn gyson. Gofyn hynny inni symud mewn dau fyd a'u hadnabod yn un. Gofyn inni gydnabod sylwedd y byd gwrthrychol y tu allan inni a'i hawl arnom, a'r un pryd arfolli'r profiad mewnol a'n chwilio'n hunain fwyfwy. Dyna

rythm y bywyd clasurol, sy'n galetach
disgyblaeth na balchter rhamantiaeth.   Y
mae'n gamp foesol. I greu llenyddiaeth
ragorach, meddai Goethe, y gyfrinach yw
perffeithio'r enaid.

Awst 1925–*Ebrill* 1927

MYNEGAI

I—CYMERIADAU YNG NGWEITHIAU WILLIAMS

II—CYFFREDINOL

n—*nodyn ar waelod y tudalen*

A

MYNEGAI

MYNEGAI